D1285425

Le GRECANCIEN dans votre poche

LES MINI LAROUSSE

21, rue du Montparnasse
75283 Paris Cedex 06, France
www.larousse.fr
ISBN : 978-2-03-590197-2

Direction de la publication
Carine Girac-Marinier

Direction éditoriale
Claude Nimmo

Édition - Coordination
Giovanni Picci

Rédaction
Elsa Ferracci, Marie-Caroline Janda

Direction artistique
Uli Meindl

Conception graphique
Sophie Rivoire

Mise en page
Jérôme Faucheux

Informatique éditoriale
Dalila Abdelkader

Fabrication
Geneviève Wittmann

SOMMAIRE

Les planches illustrées

Les expressions incontournables

- Χαῖρε *(à une personne)* [kaïré]
  χαίρετε *(à plusieurs personnes)* .... Bonjour ! / Bonsoir ! / Au revoir !
  [kaïrété]
- Εὐχαριστῶ .... Merci.
  [éoukaristô]
- Ὁμολογῶ.................... D'accord !, OK !
  [omologô]
- Ναί........................... Oui.
  [naï]
- Οὐδαμῶς.................... Non.
  [oudamôs]
- Πῶς ἔχεις;.................... Comment vas-tu ?
  [pôs ékeïs ?]
- Καλῶς ≠ κακῶς ἔχω ..... Je vais bien. ≠ Je vais mal.
  [kalôs ≠ kakôs ékô]
- Βοήθεια!......................... Au secours !
  [boèteïa]
- Διὰ τί; – ὅτι.................. Pourquoi ? – Parce que...
  [dia ti – oti...]

L'alphabet

α	Α	alpha	a (αι = aï, αυ = aou, αν = ann)
β	Β	bêta	b
γ	Γ	gamma	g dur, toujours prononcé comme dans **gare**, **gué** ou ma**g**num, mais prononcé nn devant γ, κ, ξ ou χ (αγγ = ann-g, εγκ = énn-g, ινξ = inn-ks, ...)
δ	Δ	delta	d
ε	Ε	epsilon	é bref comme dans **été** (ει = eï comme dans **veiller**, ευ = éou comme dans **Séoul**, εν = énn comme dans **Vénus**)
ζ	Ζ	zêta	dz
η	Η	êta	è long comme dans crème
θ	Θ	thêta	t
ι	Ι	iota	i (ιν = inn)
κ	Κ	kappa	k
λ	Λ	lambda	l
μ	Μ	mu	m, toujours prononcé, comme dans a**m**our (noté mm en fin de syllabe)
ν	Ν	nu	n, toujours prononcé, comme dans pla**n**e (noté nn en fin de syllabe)
ξ	Ξ	xi	ks
ο	Ο	omicron	o bref, fermé comme dans m**o**t (οι = oï, ου = ou, ον = onn)
π	Π	pi	p
ρ	Ρ	rhô	r
σ, ς	Σ	sigma	s, noté s mais prononcé ss. Exemple : γένος = guénos (prononcé guénoss) ; ἔστί = esti (prononcé essti). Noté ss en intervocalique. Prononcé z devant b, g, d, m, comme en français. σ s'écrit ς à la fin d'un mot.
τ	Τ	tau	t
υ	Υ	upsilon	u (υν = unn)
φ	Φ	phi	f
χ	Χ	khi	k
ψ	Ψ	psi	ps
ω	Ω	omega	o long ouvert, comme dans p**o**rt, noté ô

1 Se présenter

- τὸ ὄνομα, ατος .... le nom (de famille)
  [onoma, onomatos]
- ἡ ἡλικία, ας .... l'âge
  [èlikia, èlikias]
- τὸ γένος, ους .... le sexe, le genre
  [guénos, guénous]
- ἡ πόλις, εως .... la cité
  [polis, poléôs]
- ὁ δῆμος, ου .... le pays, le peuple
  [dèmos, dèmou]
- ἡ φυλή, ῆς .... la tribu
  [fulè, fulès]
- τὸ μέγεθος, ους ...... la taille, la stature
  [méguétos, méguétous]
- τὸ βάρος, ους .... le poids
  [baros, barous]

τὸ παιδίον, ου
l'enfant, le bébé
[païdionn, païdiou]

Sexe

- ὁ ἀνήρ, ἀνδρός .... l'homme, le mari
  [anèr, anndros]
- ἡ γυνή, γυναικός...... la femme, l'épouse
  [gunè, gunaïkos]

ὁ νεανίας, ου
le jeune homme
[néanias, néaniou]

• ὁ παῖς, δός .... l'enfant, le garçon
[paìs, païdos]

L'état civil

• ἄγαμος, ου, ἄγαμος, ου .... célibataire
[agamos, agamou | agamos, agamou]

• συνοικῶ *(+ dat.)* .... vivre avec
[sunoïkô]

• ἔγγαμος, ου .... marié, mariée
[enngamos, enngamou]

• ὁ γάμος, ου .... le mariage
[gamos, gamou]

• ὁ νύμφιος, ου .... le jeune marié
[nummfios, nummfiou]

ἡ κόρη, ης
la jeune fille
[korè, korès]

• ἡ νύμφη, ης .... la fiancée, la jeune mariée
[nummfè, nummfès]

• χῆρος, ου, χήρα, ας .... veuf, veuve
[kèros, kèrou | kèra, kèras]

• ὁ ἀνήρ, ἀνδρός .... le mari
[anèr, anndros]

• ἡ γυνή, γυναικός .... la femme, l'épouse
[gunè, gunaïkos]

Les cheveux

- Ἡ κόμη μοί ἐστι... J'ai les cheveux...
  [è komè moï ésti]
- ξανθή ...... blonds
  [ksannté]
- πολιά ...... gris
  [polia]
- μέλαινα ... bruns, noirs
  [mélaïna]
- πυρρά ..... roux
  [purra]
- λευκή ...... blancs
  [léoukè]
- βοστρυχώδης .... bouclés, frisés
  [bostrukôdès]
- φαλακρός / ά εἰμι .... Je suis chauve.
  [falakros eïmi | falakra eïmi]
- κομῶ .... J'ai les cheveux longs.
  [komô]

La couleur des yeux

- Τὰ ὄμματα μοί ἐστι .... J'ai les yeux...
  [ta ommata moï ésti]
- κυανᾶ .... bleus
  [kuana]
- χλωρά .... verts
  [klôra]
- μέλανα .... noirs
  [mélana]

Se décrire

- νέος, α, ον .... jeune
  [néos | néa | néonn]
- γεραιός, ά, όν .... vieux, vieille
  [guéraïos | guéraïa | guéraïonn]
- μέγας, μεγάλη, μέγα .... grand(e)
  [mégas | mégalè | méga]
- μικρός, ά, όν .... petit(e)
  [mikros | mikra | mikronn]
- εὔσαρκος, ος, ον .... gros, grosse
  [éoussarkos | éoussarkos | éoussarkonn]
- λεπτός, ή, όν .... mince, maigre
  [léptos | léptè | leptonn]
- καλός, ή, όν .... beau, belle
  [kalos | kalè | kalonn]
- αἰσχρός, ά, όν .... laid(e)
  [aïskros | aïskra | aïskronn]
- ὁ πώγων, ωνος .... la barbe
  [pôgônn, pôgônos]
- ὁ μύσταξ, ακος .... la moustache
  [mustaks, mustakos]

• Εὐδαίμων εἰμι. Je suis heureux(euse).
[éoudaïmônn eïmi]

• Λυποῦμαι. Je suis triste.
[lupoumaï]

• Χαίρω. Je suis content(e).
[kaïrô]

Δυσχεραίνω.
Je suis fâché(e).
[duskéraïnô]

Le caractère

• γέλοιος, α, ον ≠ ὀχληρός, ά, όν
drôle ≠ ennuyeux(euse)
[guéloïos | guéloïa | guéloïonn ≠ oklèros | oklèra | oklèronn]

• ἁπλοῦς, ῆ, οῦν ≠ δειλός, ή, όν
ouvert(e) ≠ timide
[aplous | aplè | aplounn ≠ deïlos | deïlè | deïlonn]

• ἡδύς, ἡδεῖα, ἡδύ ≠ ἀηδής, ής, ές
agréable ≠ désagréable
[èdus | èdéia | èdu ≠ aèdès | aèdès | aèdés]

• λάλος, ος, ον ≠ σώφρων, ων, ον
bavard(e) ≠ discret, discrète
[lalos | lalos | lalonn ≠ sôfrônn | sôfrônn | sôfronn]

• συνετός, ή, όν ≠ νωθής, ής, ές
intelligent(e) ≠ bête, stupide
[sunétos | sunétè | sunétonn ≠ nôtès | nôtès | nôtés]

- φιλότιμος, ος, ον ≠ ταπεινός, ή, όν
  ambitieux ≠ humble
  [filotimos | filotimos | filotimonn ≠ tapeïnos | tapeïnè | tapeïnonn]
- φιλόδωρος, ος, ον ≠ φίλαυτος, ος, ον
  généreux(euse) ≠ égoïste
  [filodôros | filodôros | filodôronn ≠ filaoutos | filaoutos | filaoutonn]
- ἀστεῖος, α, ον ≠ ἀγροῖκος, ος, ον
  poli(e) ≠ mal élevé(e)
  [asteïos | asteïa | asteïonn ≠ agroïkos | agroïkos | agroïkonn]
- ἀγαθός, ή, όν ≠ πονηρός, ά, όν
  gentil(le) ≠ méchant(e)
  [agatos | agatè | agatonn ≠ ponèros | ponèra | ponèronn]
- κόσμιος, α, ον ≠ λαμυρός, ά, όν
  sage ≠ espiègle
  [kosmios | kosmia | kosmionn ≠ lamuros | lamura | lamuronn]
- φιλόπονος, ος, ον ≠ ἀργός, ός, όν
  travailleur(euse) ≠ paresseux(euse)
  [filoponos | filoponos | filoponon ≠ argos | argos | argonn]
- χαρίεις, ίεσσα, ίεν ≠ δύσκολος, ος, ον
  charmant(e) ≠ antipathique
  [karieïs, kariéssa, kariénn ≠ duskolos | duskolos | duskolonn]

Se présenter

La famille

- οἱ πρόγονοι, ων .... les grands-parents, les ancêtres
  [progonoï, progonônn]
- οἱ γονεῖς, έων .... les parents
  [goneïs, gonéônn]
- οἱ ἔκγονοι, ων .... les enfants *(descendants)*
  [ékgonoï, ékgonônn]
- οἱ παῖδες παίδων .... les petits-enfants
  [païdés païdônn]
- ὁ πατήρ, πατρός ..... le père
  [patèr, patros]
- ἡ μήτηρ, μητρός ...... la mère
  [mètèr, mètros]
- ὁ πάππας, ου .... le papa
  [pappas, pappou]
- ἡ μάμμη, ης .... la maman
  [mammè, mammès]
- ὁ υἱός, οῦ .... le fils
  [uïos, uïou]
- ἡ θυγάτηρ, θυγατρός .. la fille
  [tugatèr, tugatros]
- ὁ ἀδελφός, οῦ .... le frère
  [adélfos, adélfou]
- ἡ ἀδελφή, ῆς .... la sœur
  [adélfè, adélfès]
- ὁ θεῖος, ου .... l'oncle
  [teïos, teïou]
- ἡ τηθίς, ίδος .... la tante
  [tètis, tètidos]
- ὁ ἀνεψιός, οῦ ..... le cousin
  [anépsios, anépsiou]
- ἡ ἀνεψιά, ᾶς .... la cousine
  [anépsia, anépsias]
- ὁ πάππος, ου. le grand-père
  [pappos, pappou]
- ἡ τήθη, ης ..... la grand-mère
  [tètè, tètès]

Μανθάνω τὴν ἑλληνικὴν γλῶτταν.
[Manntanô tènn éllènikènn glôttann]
J'apprends le grec.

Τί ἐστι τὸ ὄνομά σου;
[Ti esti to onoma sou ?]
Quel est ton nom ?

Τὸ ὄνομά μου ἐστί(ν)...
[To onoma mou esti...
(estinn devant voyelle)]
Mon nom est...

Τίς ἐστίν ἡ γενέθλια ἡμέρα σου;
[Tis éstinn è guénétlia èméra sou ?]
Quel est ton jour de naissance ?

Μέγας / μεγάλη ≠ μικρός / ά εἰμι.
[mégas / mégalè ≠ mikros / mikra eïmi]
Je suis grand(e) ≠ petit(e).

Εὔσαρκός / ός ≠ λεπτός / ή εἰμι.
[éoussarkos / éoussarkos ≠ léptos / léptè eïmi]
Je suis gros(se) ≠ mince.

Τρεῖς μοί εἰσι παῖδες.
[treïs moï eïssi païdes]
J'ai trois enfants.

2 La vie et la mort

- ζάω-ῶ, *(aoriste)* ἔζησα .... vivre
  [dzaô-dzô, édzèssa]
- ἀποθνῄσκω, *(aoriste)* ἀπέθανον .... mourir
  [apotnèskô (apétanonn)]
- ὁ βίος, ου .... la vie
  [bios, biou]
- ὁ θάνατος, ου .... la mort
  [tanatos, tanatou]
- ἡ ψυχή, ῆς .... l'âme
  [psukè, psukès]
- ἡ ἥβη, ης .... la jeunesse
  [èbè, èbès]
- ἡ ἀκμή, ῆς .... la fleur de l'âge
  [akmè, akmès]
- τὸ γῆρας, ως .... la vieillesse
  [guèras, guèrôs]
- ἡ μοῖρα, ας .... le destin
  [moïra, moïras]
- ὁ πένθος, ους .... le deuil
  [pénntos, pénntous]
- ὁ τάφος, ου .... la sépulture, les funérailles
  [tafos, tafou]

ὁ γέρων, οντος
le vieillard
[guérônn, guéronntos]

ἡ στήλη, ης
la stèle funéraire
[stèlè, stèlès]

Les relations sociales

- ἡ κοινωνία, ας .... la communauté, la société
  [koïnônia, koïnônias]
- οἱ πόλλοι, ων ...... la foule
  [polloï, pollônn]
- πλησιάζω *(+ dat.)* . fréquenter
  [plèsiadzô]
- ὁ γείτων, ονος ..... le voisin
  [gueïtônn | gueïtonos]
- ὁ ἑταῖρος, ου ...... le camarade, le compagnon
  [étaïros, étaïrou]
- ἡ ἰσότης, ητος ..... l'égalité
  [issotès, issotètos]
- ἡ ξενία, ας .... l'hospitalité
  [ksénia, ksénias]
- τὸ δῶρον, ου ...... le don, le cadeau
  [dôronn, dôrou]
- ὁ δεσπότης, ου ... le maître
  [déspotès, déspotou]
- ὁ οἰκέτης, ου ...... le serviteur
  [oïkétès, oïkétou]

ἡ φιλία, ας
l'amitié, l'affection
[filia, filias]

ὁ δοῦλος, ου
l'esclave
[doulos, doulou]

3 Le travail

- τὸ ἔργον, ου .... le travail
  [érgonn, érgou]
- ἐργάζομαι .... travailler
  [érgadzomaï]
- ἡ τέχνη, ης .... la technique, le métier
  [téknè, téknès]
- ἡ χειρουργία, ας ...... le travail manuel
  [keïrourguia, keïrourguias]
- ὁ χρηματισμός, οῦ ... le commerce
  [krèmatismos, krèmatismou]
- ὁ μισθός, οῦ .... le salaire, la solde
  [mistos, mistou]
- τὸ ὄργανον, ου .... l'outil
  [organonn, organou]
- ὁ ποιμήν, ένος .... le berger
  [poïmènn, poïménos]
- ὁ ναύτης, ου .... le marin
  [naoutès, naoutou]
- ὁ ἀρχιτέκτων, ονος ... l'architecte
  [arkitektônn, arkitéktonos]
- ὁ ἰατρός, οῦ .... le médecin
  [iatros, iatrou]

ὁ δικαστής, οῦ
le juge
[dikastès, dikastou]

ὁ δημιουργός, οῦ
l'artisan
[dèmiourgos, dèmiourgou]

Τί ἐπιτήδευμα ἐστί σοι;
[Ti épitèdéouma ésti soï ?]
Quel métier fais-tu ?

Συγγραφεύς εἰμι.
[sunngraféous eïmi]
Je suis écrivain.

Ἐργάζομαι νύκτας τε καὶ ἡμέρας.
[érgadzomaï nuktas té kaï èméras]
Je travaille nuit et jour.

Αὔριον ἑορταστικὴ ἡμέρα ἐστίν.
[Aourionn éortastikè èméra estinn]
Demain est un jour férié.

Ὁ δικαστὴς δικάζει ἐν τῷ δικαστηρίῳ.
[o dikastès dikadzeï ènn tô dikastèriô]
Le juge rend la justice au tribunal.

Ἀνάγκη ἐστὶν ἐργάζεσθαι ἵνα πλούσιοι γιγνώμεθα.
[anannkè éstinn érgadzéstaï ina ploussioï guignométa]
C'est une nécessité de travailler afin de devenir riche.

4 Les études

- ἡ παιδεία, ας .... l'éducation, la culture
  [païdeïa, païdeïas]
- παιδεύω.......................... éduquer
  [païdéouô]
- ἡ σχολή, ῆς .... le loisir, l'étude
  [skolè, skolès]
- μανθάνω, *(aoriste)* ἔμαθον ...... apprendre, étudier
  [manntanô (ématonn)]
- διδάσκω, *(aoriste)* ἐδίδαξα.. enseigner
  [didaskô (édidaksa)]
- ὁ μαθητής, οῦ.............. l'écolier
  [matètès, matètou]
- ἀναγιγνώσκω .... lire
  [anaguignôskô]
- γράφω.................... écrire
  [grafô]
- τὰ γράμματα, ων .... les lettres
  [grammata, grammatônn]
- τὸ βιβλίον, ου.............. le livre
  [biblionn, bibliou]
- ἀριθμέω-ῶ .... compter
  [aritméô-aritmô]

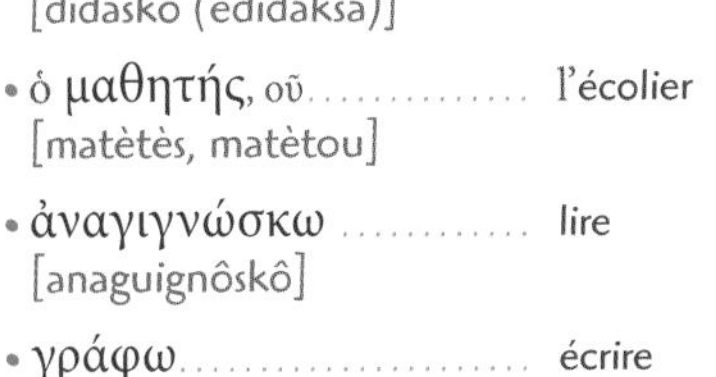

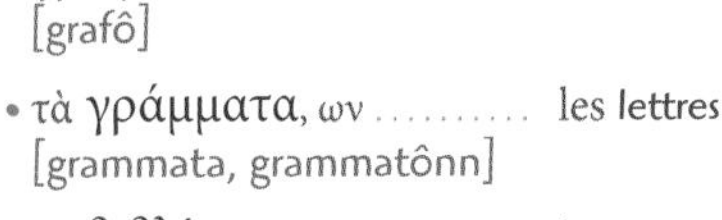

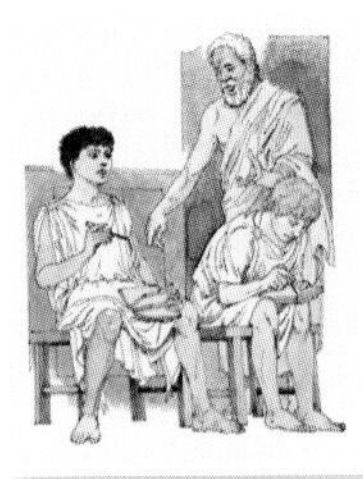

ὁ διδάσκαλος, ου
le maître d'école,
le précepteur
[didaskalos,
didaskalou]

Les écoles de pensée

- ὁ ῥήτωρ, ορος ...... l'orateur, le professeur de rhétorique
  [rètôr, rètoros]
- ἡ σοφιστική, ῆς ... l'art des sophistes, la sophistique
  [sofistikè, sofistikès]
- ἡ ῥητορική, ῆς ..... la rhétorique
  [rètorikè, rètorikès]
- ἡ φιλοσοφία, ας ... la philosophie
  [filossofia, filossofias]
- τὸ ἠθικόν, οῦ .... l'éthique
  [ètikonn, ètikou]
- ἡ γεωμετρία, ας ... la géométrie
  [guéômétria, guéômétrias]
- τὰ μαθήματα, ων .. les mathématiques
  [matèmata, matèmatônn]
- ἀκούω .... entendre, écouter, suivre un enseignement
  [akouô]

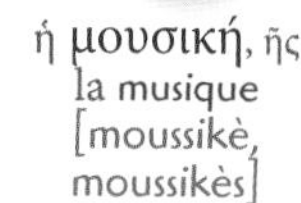

ἡ μουσική, ῆς
la musique
[moussikè, moussikès]

Apprendre et savoir

- ἡ μνήμη, ης .... la mémoire, le souvenir
  [mnèmè, mnèmès]
- μέμνημαι .... se souvenir
  [mémmnèmaï]

Les études

- ἡ λήθη, ης .... l'oubli
  [lètè, lètès]
- ἡ ἄγνοια, ας .... l'ignorance
  [agnoïa, agnoïas]
- ἀγνοέω-ῶ .... ignorer
  [agnoéô-agnoô]
- πυνθάνομαι, *(aoriste)* ἐπυθόμην ...... s'informer
  [punntanomaï (éputomènn)]
- λογίζομαι .... réfléchir, calculer
  [loguidzomaï]
- μελετάω-ῶ .... s'entraîner, pratiquer
  [mélétaô-mélétô]
- εὑρίσκω, *(aoriste)* ηὗρον .... trouver
  [éouriskô (èouronn)]
- γιγνώσκω, *(aoriste)* ἔγνων .... connaître
  [guignôskô (égnônn)]
- σοφός, οῦ, σοφή, ῆς, σοφόν, οῦ .... savant(e), sage
  [sofos, sofou | sofè, sofès | sofonn, sofou]
- ἡ σοφία, ας .... le savoir, la sagesse
  [sofia, sofias]
- ἡ ἐπιστήμη, ης .... la science
  [épistèmè, épistèmès]

Ἀπὸ στόματος.
[apo stomatos]
par cœur

Εἰς τὸ διδασκαλεῖον φοιτῶ.
[eïs to didaskaleïonn foïtô]
aller à l'école

Οὐκ οἶδα.
[ouk oïda]
Je ne sais pas.

Ἀπορῶ ὅ τι ἀποκρινοῦμαι.
[aporô o ti apokrinoumaï]
Je ne sais pas quoi répondre.

Ἐπίδοσιν λαμβάνω.
[épidossinn lammbanô]
Je fais des progrès.

Οἱ ἀπὸ τοῦ Πλάτωνος.
[oï apo tou platônos]
L'école (les disciples) de Platon.

Γνῶθι σεαυτόν.
[gnôti séaoutonn]
Connais-toi toi-même.

5 La maison

- ἡ οἰκία, ας .... la maison
  [oïkia, oïkias]
- ὁ οἶκος, ου .... l'habitation, la maisonnée
  [oïkos, oïkou]
- ὁ (ἡ) γείτων, ονος ...... le voisin, la voisine
  [gueïtônn, gueïtonos]

<u>*Les différentes parties de la maison*</u>

- τὸ τέγος, ους .... le toit
  [tégos, tégous]
- ὁ τοῖχος, ου .... le mur
  [toïkos, toïkou]
- ἡ κλῖμαξ, ακος .... l'escalier
  [klimaks, klimakos]
- τὸ ὑπερῷον, ου .... l'étage
  [upérôonn, upérôou]
- τὸ δωμάτιον, ου .... la chambre
  [dômationn, dômatiou]
- ἡ γυναικωνῖτις, ιδος .. l'appartement des femmes,
  [gunaïkônitis, gunaïkônitidos] le gynécée
- ὁ ἀνδρών, ῶνος .... l'appartement des hommes
  [anndrônn, anndrônos]

ἡ ἑστία, ας
le foyer, l'autel domestique
[éstia, éstias]

- ἡ θύρα, ας .... la porte
  [tura, turas]
- ἡ κλείς, κλειδός .... la clé
  [kleïs, kleïdos]
- ἡ θυρίς, ίδος .... la fenêtre
  [turis, turidos]
- ἡ κατασκευή, ῆς ..... le mobilier
  [kataskéouè, kataskéouès]
- ἡ αὐλή, ῆς .... la cour
  [aoulè, aoulès]
- τὸ φρέαρ, ατος .... le puits
  [fréar, fréatos]

ἡ τράπεζα, ης
la table
[trapédza, trapédzès]

__*La cuisine et la salle à manger*__

- τὸ μαγειρεῖον, ου .... la cuisine
  [magueïreïonn, magueïréiou]
- ἡ καθέδρα, ας .... la chaise, le siège
  [katédra, katédras]
- τὸ βάθρον, ου .... le banc
  [batronn, batrou]
- ἡ ἐσχάρα, ας .... le foyer, le réchaud
  [éskara, éskaras]
- τὰ σκεύη, ων .... les ustensiles
  [skéouè, skéouônn]

ὁ ἀμφορεύς, έως
l'amphore
[ammforéous, ammforéôs]

- ὁ ὀβελίσκος, ου .... la brochette
  [obéliskos, obéliskou]
- ἡ μάχαιρα, ας .... le couteau
  [makaïra, makaïras]
- τὸ λίστριον, ου...... la cuillère
  [listrionn, listriou]
- ἡ φιάλη, ης.......... la coupe, le gobelet
  [fialè, fialès]
- ὁ κρατήρ, ῆρος...... le cratère
  [kratèr, kratèros] *(où l'on mélange le vin et l'eau)*

ὁ πίθος, ου
la jarre à vin, le pithos
[pitos, pitou]

<u>*La salle de bains*</u>

- τὸ λουτρόν, οῦ..... le bain *(l'établissement de bain)*
  [loutronn, loutrou]
- τὸ κάτοπτρον, ου .. le miroir
  [katoptronn, katoptrou]
- τὸ μύρον, ου .... l'huile parfumée
  [muronn, murou]
- ἀλείφομαι .... se frotter d'huile
  [aleïfomaï]
- ὁ κτείς, κτενός .... le peigne
  [kteïs, kténos]

ἡ οἰνοχόη, ης
la cruche à vin
[oïnokoè, oïnokoès]

- ἡ πυξίς, ίδος .... le coffret, la boîte
  [puksis, puksidos]

ὁ σπόγγος, ου
l'éponge
[sponngos, sponngou]

Le salon

- ἡ κλίνη, ης .... le lit *(de table)*
  [klinè, klinès]
- ἡ ἕδρα, ας .... le siège
  [édra, édras]
- ἡ κιβωτός, οῦ ..... le coffre
  [kibôtos, kibôtou]
- ὁ λύχνος, ου ...... la lampe
  [luknos, luknou]
- ἡ λαμπάς, άδος .... le flambeau
  [lammpas, lammpados]
- ἡ τάπις, ιδος .... le tapis
  [tapis, tapidos]

τὸ λιθόστρωτον, ου
la mosaïque
[litostrôtonn, litostrôtou]

La chambre

- τὸ λέκτρον, ου .... le lit
  [léktronn, léktrou]
- τὸ στρῶμα, ατος .... le matelas, la couverture
  [strôma, strômatos]
- τὸ προσκεφάλαιον, ου... l'oreiller, le coussin
  [proskéfalaïonn, proskéfalaïou]

6 Les arts

- ἡ ποίησις, εως .... la poésie
  [poïèssis, poïèsséôs]
- ποιέω-ῶ .... composer un poème
  [poïéô-poïô]
- ὁ στίχος, ου ...... le vers
  [stikos, stikou]
- τὰ ἔπη, ῶν .... la poésie épique
  [épè, épônn]
- τὰ μέλη, ῶν .... la poésie lyrique
  [mélè, mélônn]
- ὁ ὕμνος, ου .... l'hymne
  [ummnos, ummnou]
- ἡ τραγῳδία, ας .. la tragédie
  [tragôdia, tragôdias]
- ἡ κωμῳδία, ας ... la comédie
  [kômôdia, kômôdias]
- ὁ μῦθος, ου .... le roman, la fable
  [mutos, mutou]
- ὁ λόγος, ου .... le discours, la parole
  [logos, logou]
- ἡ ἐπιστολή, ῆς ... la lettre
  [épistolè, épistolès]

ὁ ποιητής, οῦ
le poète
[poïètès, poïètou]

τὸ δρᾶμα, ατος
la pièce de théâtre
[drama, dramatos]

Le théâtre

- ἡ θέα, ας .... le spectacle
  [téa, téas]
- ὁ θεατής, οῦ .... le spectateur
  [téatès, téatou]
- ἡ σκηνή, ῆς .... les coulisses
  (la « skéné », qui servait de coulisses et de décor)
  [skènè, skènès]
- τὸ προσκήνιον, ου .... la scène
  (l'estrade où jouaient les acteurs)
  [proskènionn, proskèniou]
- ἡ ὀρχήστρα, ας .... l'orchestra
  (lieu où se tenait le chœur)
  [orkèstra, orkèstras]
- ὁ ὑποκριτής, οῦ .... l'acteur
  [upokritès, upokritou]
- ὁ χορός, οῦ .... le chœur
  [koros, korou]
- ἡ ἐσθής, ῆτος .... le costume
  [éstès, éstètos]
- ὁ χοροῦ διδάσκαλος le metteur en scène
  [korou didaskalos]
- κροτέω-ῶ .... applaudir
  [krotéô-krotô]
- συρίζω .... siffler
  [suridzô]

τὸ θέατρον, ου
le théâtre
[téatronn, téatrou]

τὸ πρόσωπον, ου
le masque
[prossôponn, prossôpou]

Les arts

- ἡ ἀνδριαντοποιΐα, ας .... la sculpture *(l'art)*
  [anndrianntopoïia, anndrianntopoïias]
- ὁ μάρμαρος, ου .... le marbre
  [marmaros, marmarou]
- ὁ ἐλέφας, αντος .... l'ivoire
  [éléfas, éléfanntos]
- ὁ ζωγράφος, ου .... le peintre
  [dzôgrafos, dzôgrafou]
- ἡ εἰκών, όνος .... le portrait, l'image
  [eïkônn, eïkonos]
- ἡ κεραμική, ῆς .... la poterie *(l'art)*
  [kéramikè, kéramikès]
- ὁ κέραμος, ου .... le vase
  [kéramos, kéramou]
- ὁ μουσικός, οῦ .... le musicien
  [moussikos, moussikou]
- τὸ ὄργανον, ου .... l'instrument
  [organonn, organou]
- ὁ (ἡ) ᾠδός, οῦ .... le chanteur, la chanteuse
  [ôdos, ôdou]

ὁ ἀνδριάς, άντος
la statue
[andrias, andriantos]

ὁ χαλκός, οῦ
le bronze
[kalkos, kalkou]

Les Muses

- αἱ Μοῦσαι, ων .... les Muses
  [moussaï, moussônn]
- τὸ μουσεῖον, ου........ le temple consacré aux Muses *(le « musée »)*
  [mousseïonn, mousseïou]
- ἡ τέχνη, ης............... l'art, la technique
  [téknè, téknès]
- ὁ τεχνίτης, ου.......... l'artiste
  [téknitès, téknitou]

ἡ Πολύμνια, ας
Polymnie *(rhétorique)*
[polummnia, polummnias]

Les neuf Muses

- ἡ Κλειώ, οῦς............ Clio *(histoire)*
  [kleïô, kleïous]
- ἡ Εὐτέρπη, ης.......... Euterpe *(musique)*
  [éoutérpè, éoutérpès]
- ἡ Θαλία, ας............. Thalie *(comédie)*
  [talia, talias]
- ἡ Μελπομένη, ης...... Melpomène *(tragédie)*
  [mélpoménè, mélpoménès]
- ἡ Οὐρανία, ας .... Uranie *(astronomie)*
  [ourania, ouranias]
- ἡ Καλλιόπη, ης........ Calliope *(poésie épique)*
  [kalliopè, kalliopès]

ἡ Τερψιχόρα, ας
Terpsichore *(danse)*
[térpsikora, térpsikoras]

ἡ Ἐρατώ, οῦς
Érato
(poésie lyrique et chorale)
[ératô, ératous]

7 Les loisirs et les sports

- περιπατέω-ῶ .... se promener
  [péripatéô-péripatô]
- γράφω .... dessiner
  [grafô]
- ζωγραφέω-ῶ .... peindre
  [dzôgraféô- dzôgrafô]
- ὀρχέομαι-οῦμαι .... danser
  [orkéomaï-orkoumaï]
- ᾄδω .... chanter
  [adô]
- εὐφραίνομαι .... s'amuser, se divertir
  [éoufraïnomaï]

ἡ σῦριγξ, σύριγγος
la flûte de Pan,
la syrinx
[surinnks, surinngos]

Les loisirs

- ἡ γραφή, ῆς .... la peinture, le dessin
  [grafè, grafès]
- ἡ μουσική, ῆς .... la musique
  [moussikè, moussikès]
- ἡ ᾠδή, ῆς .... le chant
  [ôdè, ôdès]
- ὁ αὐλός, οῦ .... la flûte
  [aoulos, aoulou]
- ἡ σάλπιγξ, σάλπιγγος .... la trompette
  [salpinnks, salpinngos]

ἡ χορεία, ας
la danse
[koreïa, koreïas]

- ἡ θήρα, ας .... la chasse
  [tèra, tèras]
- ἡ ἁλιεία, ας .... la pêche
  [alieïa, alieïas]
- οἱ κύβοι, ων .... les dés
  [kuboï, kubônn]
- ἡ πεττεία, ας .... le jeu de tric-trac
  [péttéia, pétteïas]
- παίζω .... jouer
  [païdzô]

νικάω-ῶ
gagner, battre quelqu'un *(+ acc.)*
[nikaô-nikô]

Le sport

- γυμνάζομαι .... s'entraîner
  [gummnadzomaï]
- ὁ πόνος, ου .... l'effort physique
  [ponos, ponou]
- βάλλω, *(aoriste)* ἔβαλον ... lancer
  [ballô (ébalonn)]
- ἅλλομαι .... sauter
  [allomaï]
- νέω, *(aoriste)* ἔνευσα .... nager
  [néô (énéoussa)]
- βάπτω .... plonger
  [baptô]

τρέχω, *(aoriste)* ἔδραμον
courir
[trékô (édramonn)]

- ἡττάομαι-ῶμαι .... perdre
  [èttaomaï-èttômaï]
- ἡ πεῖρα, ας .... l'essai
  [peïra, peïras]
- εἰς τὸ βαλανεῖον ἰέναι... aller aux bains
  [eïs to balaneïonn iénaï]

ὁ δίσκος, ου
le disque
[diskos, diskou]

L'équipement

- ἡ σφαῖρα, ας .... la balle
  [sfaïra, sfaïras]
- οἱ ἁλτῆρες, ων .... les haltères *(qu'on tient en sautant)*
  [altèrés, altèrônn]
- τὸ ἅρμα, ατος................ le char
  [arma, armatos]

ὁ ἄκων, οντος
le javelot
[akônn, akonntos]

Les installations sportives

- τὸ γυμνάσιον, ου........... le gymnase
  [gummnassionn, gummnassiou]
- ἡ παλαίστρα, ας............ la palestre
  [palaïstra, palaïstras]
- τὸ στάδιον, ου .... le stade, la course dans le stade
  [stadionn, stadiou]
- ὁ ἱππόδρομος, ου .... l'hippodrome
  [ippodromos, ippodromou]

La compétition

- τὸ ἆθλον, ου...... le prix
  [atlonn, atlou]
- ἡ νίκη, ης .... la victoire
  [nikè, nikès]
- ὁ στέφανος, ου .. la couronne
  [stéfanos, stéfanou]
- ἀγωνίζομαι...... concourir
  [agônidzômaï]
- τὰ Ὀλύμπια, ων .. les compétitions olympiques
  [olummpia, olummpiônn]

ὁ ἀγών, ῶνος
la compétition, la lutte
[agônn, agônos]

Les participants

- ὁ ἀθλητής, οῦ .... le participant, l'athlète
  [atlètès, atlètou]
- ὁ παιδοτρίβης, ου.......... le maître de gymnastique
  [païdotribès, païdotribou]
- ὁ ἀνταγωνιστής, οῦ .... le concurrent, l'adversaire
  [anntagônistès, anntagônistou]
- ὁ νικηφόρος, ου............. le gagnant, le vainqueur
  [nikèforos, nikèforou]

Ἀναγιγνώσκω πολλὰ βιβλία.
[anaguignôskô polla biblia]
Je lis beaucoup de livres.

Ζωγραφῶ πίνακας.
[dzôgrafô pinakas]
Je peins des tableaux.

Ἆρα κρούεις;
[ara krouеïs ?]
Joues-tu de la lyre ?

Κρούω.
[krouô]
Oui, j'en joue.

Γυμνάζομαι.
[gummnadzomaï]
faire de l'exercice

Ἱππεύω.
[ippéouô]
faire de l'équitation

Μετέχω...*+ gén.*
[métékô]
Participer à...

Εὐφυὴς εἶ.
[éoufuès eï]
Tu es doué(e) !

Πρωτεύω.
[prôtéouô]
être le premier

Τὴν Ὀλυμπιάδα ἀναιροῦμαι.
[tèn olummpiada anaïroumaï]
Remporter la victoire aux Jeux Olympiques.

J'aime, je n'aime pas...

Σπουδάζω περὶ τὴν ἱστορίαν.
[spoudadzô péri tènn istoriann]
Je m'intéresse à l'histoire.

Φιλῶ πίνακας θεᾶσθαι.
[filô pinakas téastaï]
J'aime contempler des tableaux.

Φιλεῖ μάλιστα κωμάζειν
[fileï malista kômadzeïnn]
Il adore sortir.

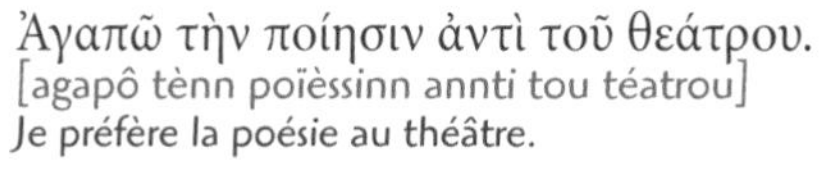

Ἀγαπῶ τὴν ποίησιν ἀντὶ τοῦ θεάτρου.
[agapô tènn poïèssinn annti tou téatrou]
Je préfère la poésie au théâtre.

Οὐ χαίρω τῷ τρέχειν
[ou kaïrô tô trékeïnn]
Je n'aime pas courir.

Δυσχεραίνω τὴν ἁλιείαν
[duskéraïnô tènn alieïann]
Je ne supporte pas la pêche.

Μισεῖ μαγειρεύειν.
[miseï magueïréoueïnn]
Elle déteste faire la cuisine.

8 La météo

- ἡ ὥρα, ας .... le temps, le climat
  [ôra, ôras]
- (σφόδρα) θερμός, οῦ,
  (σφόδρα) θερμῆ, ῆς .... (très) chaud(e)
  [(sfodra) térmos, térmou | (sfodra) térmè, térmès]
- (σφόδρα) ψυχρός, οῦ,
  (σφόδρα) ψυχρά, ᾶς .... (très) froid(e)
  [(sfodra) psukros, psukrou | (sfodra) psukra, psukras]
- ἡ χιών, όνος .... la neige
  [kiônn, kionos]
- ὁ ἥλιος, ου .... le soleil
  [èlios, èliou]
- ὁ ἄνεμος, ου .... le vent
  [anémos, anémou]
- ὁ χειμών, ῶνος .... la tempête
  [keïmônn, keïmônos]
- τὸ νέφος, ους .... le nuage
  [néfos, néfous]
- ἡ ἶρις, ιδος .... l'arc-en-ciel
  [iris, iridos]
- ἡ ἀστραπή, ῆς .... l'éclair
  [astrapè, astrapès]

ὁ κεραυνός, οῦ
la foudre
[kéraounos, kèraounou]

Εὐδία ἐστίν.
[éoudia éstinn]
Il fait beau.

Χειμών ἐστιν.
[keïmônn éstinn]
Il fait mauvais temps.

Ἥλιος λάμπει.
[èlios lammpeï]
Le soleil brille.

Ὁ ἄνεμος πνεῖ.
[o anémos pneï]
Le vent souffle.

Ὁ ἀὴρ θερμότατός ἐστιν.
[o aèr térmotatos éstinn]
Il fait très chaud.

Ἐστίν ἡ πανσέληνος τῇδε τῇ ἑσπέρᾳ.
[éstinn è pannsélènos tèdé tè éspéra]
C'est la pleine lune ce soir.

Ὕει.
[ueï]
Il pleut.

Νίφει.
[nifeï]
Il neige.

Κρύος ἐστίν.
[kruos éstin]
Il gèle.

Ῥιγῶ.
[rigô]
J'ai froid.

9 La campagne

Les animaux domestiques

- ὁ (ἡ) κύων, κυνός ...... le chien, la chienne
  [kuônn, kunos]
- ὁ ἰχθύς, ύος .... le poisson
  [iktus, iktuos]
- ὁ (ἡ) ὄρνις, ιθος .... l'oiseau
  [ornis, ornitos]

ὁ (ἡ) αἴλουρος, ου
le chat, la chatte
[aïlouros, aïlourou]

Les oiseaux

- ἡ χελιδών, όνος .... l'hirondelle
  [kélidônn, kélidônos]
- ὁ κόραξ, ακος .... le corbeau
  [koraks, korakos]
- ἡ ἀηδών, όνος .... le rossignol
  [aèdônn, aèdonos]
- ἡ γλαῦξ, γλαυκός .... la chouette
  [glaouks, glaoukos]
- ὁ κύκνος, ου .... le cygne
  [kuknos, kuknou]
- ὁ ἀετός, οῦ .... l'aigle
  [aétos, aétou]
- ἡ περιστερά, ᾶς........ la colombe, le pigeon
  [péristéra, péristéras]

ὁ (ἡ) σῦς, συός
le porc, la truie
[sus, suos]

Les insectes

- ὁ μύρμηξ, ηκος .... la fourmi
  [murmèks, murmèkos]
- ἡ μέλιττα, ης .... l'abeille
  [mélitta, mélittès]
- ἡ ψυχή, ῆς .... le papillon
  [psukè, psukès]
- ὁ τέττιξ, ιγος .... la cigale
  [téttiks, téttigos]
- ἡ ἀράχνη, ης .... l'araignée
  [araknè, araknès]
- ὁ σκορπίος, ου .... le scorpion
  [skorpios, skorpiou]

ὁ ἐλέφας, αντος
l'éléphant
[éléfas, éléfanntos]

Les cris des animaux

Ὁ κύων ὑλακτεῖ.
[o kuônn ulakteï]
Le chien aboie.

Ὁ οἶς βληχᾶται.
[o oïs blèkataï]
Le mouton bêle.

Ὁ ἵππος χρεμετίζει.
[o ippos krémétidzeï]
Le cheval hennit.

Ὁ βάτραχος κράζει.
[o batrakos kradzeï]
La grenouille coasse.

Les animaux de la ferme

ὁ ἀλεκτρυών, όνος
aléktruônn,
aléktruonos
le coq

ἡ ἀλεκτρύαινα, ης
aléktruaïna,
aléktruaïnès
la poule

ὁ (ἡ) βοῦς, βοός
bous, boos
le bœuf, la vache

ἡ νῆττα, ης
nètta, nèttès
le canard

ὁ (ἡ) χήν, χηνός
kènn, kènos
l'oie

ἡ αἴξ, αἰγός
aïks, aïgos
la chèvre

τὸ πρόβατον, ου
probatonn, probatou
le mouton, la brebis

ὁ ἵππος, ου
ippos, ippou
le cheval

ὁ (ἡ) ὄνος, ου
onos, onou
l'âne, l'ânesse

Les animaux sauvages

ὁ βάτραχος, ου
batrakos, batrakou
la grenouille

ὁ ὄφις, εως
ofis, oféôs
le serpent

ὁ μῦς, υός
mus, muos
la souris, le rat

ἡ ἀλώπηξ, εκος
alôpèks, alopékos
le renard, la renarde

ὁ (ἡ) λύκος, ου
lukos, lukou
le loup, la louve

ὁ ἄρκτος, ου
arktos, arktou
l'ours

ὁ κάπρος, ου
kapros, kaprou
le sanglier

ὁ λέων, οντος
léônn, léonntos
le lion

ὁ πίθηκος, ου
pitèkos, pitèkou
le singe

La campagne

Les travaux des champs

- ἡ χώρα, ας .... la campagne
  [kôra, kôras]
- ὁ ἀγρός, οῦ .... le champ
  [agros, agrou]
- ἡ γῆ, ῆς .... la terre
  [guè, guès]
- τὸ ζεῦγος, ους .... l'attelage de deux animaux, le chariot
  [dzéougos, dzéougous]
- τὸ ἄροτρον, ου .... la charrue
  [arotronn, arotrou]
- γεωργέω-ῶ .... être cultivateur, cultiver
  [guéôrguéô-guéôrgô]
- ἀρόω-ῶ .... labourer
  [aroô-arô]
- σπείρω, *(aoriste)* ἔσπειρα ... semer
  [speïrô (éspeïra)]
- φυτεύω .... planter
  [futéouô]
- τρυγάω-ῶ .... vendanger
  [trugaô-trugô]
- ἀκμάζω .... être à maturité
  [akmadzô]
- θερίζω .... moissonner, faucher
  [téridzô]

ὁ καρπός, οῦ
la récolte, le fruit
[karpos, karpou]

Ὁ γεωργὸς γῆν ἐργάζεται.
[o guéôrgos guènn érgadzétaï]
L'agriculteur travaille la terre.

Ἡ γῆ καρποὺς φέρει.
[è guè karpous féreï]
La terre produit (porte) des fruits.

ἡ γεωργία, ας
l'agriculture
[guéôrguia, guéôrguias]

Les arbres

ἡ δρῦς, δρυός
drus, druos
le chêne

ἡ δάφνη, ης
dafnè, dafnès
le laurier

ἡ πίτυς, υος
pitus, pituos
le pin

ἡ κέδρος, ου
kédros, kédrou
le cèdre

ἡ κυπάριττος, ου
kuparittos, kuparittou
le cyprès

ἡ πλάτανος, ου
platanos, platanou
le platane

ἡ φοῖνιξ, ικος
foïniks, foïnikos
le palmier

ἡ ἐλαία, ας
élaïa, élaïas
l'olivier

ἡ συκῆ, ῆς
sukè, sukès
le figuier

Les fleurs

τὸ ῥόδον, ου
rodonn, rodou
la rose

ἡ μήκων, ωνος
mèkônn, mèkônos
le coquelicot

τὸ ἴον, ου
ionn, iou
la violette

ἡ ἰάσμη, ης
iasmè, iasmès
le jasmin

ἡ ἶρις, ιδος
iris, iridos
l'iris

ὁ κρόκος, ου
krokos, krokou
le safran

τὸ ἡλιοτρόπιον, ου
èliotropionn,
èliotropiou
le tournesol

ὁ νάρκισσος, ου
narkissos, narkissou
le narcisse

ὁ ὑάκινθος, ου
uakinntos,
uakinntou
la jacinthe

10 La vie quotidienne

Le matin

- ἐγείρομαι, *(aoriste)* ἠγρόμην .... se réveiller
  [égueïromaï (ègromènn)]
- ἀνίσταμαι, *(aoriste)* ἀνέστην .... se lever
  [anistamaï (anéstènn)]
- λούομαι .... se laver
  [louomaï]
- ξύρομαι, *(aoriste)* ἐξυράμην .... se raser
  [ksuromaï (éksuramènn)]
- κτενίζομαι (τὰς κόμας) .... se brosser (les cheveux), se peigner
  [kténidzomaï (tas komas)]
- ψιμυθιόομαι-οῦμαι .... se maquiller
  [psimutioomaï-psimutioumaï]
- ἐνδύομαι .... s'habiller
  [énnduomaï]
- παρασκευάζομαι .... se préparer
  [paraskéouadzomaï]
- ἀκρατίζομαι .... prendre son petit déjeuner
  [akratidzomaï]
- εἰς τὴν ἄγοραν ἔρχομαι .... aller au marché
  [eïs tèn agorann érkomaï]

L'après-midi / Le soir

- ἀριστάω-ῶ .... déjeuner
  [aristaô-aristô]
- οἴκαδε ἐπανέρχομαι .... rentrer à la maison
  [oïkadé épanérkomaï]
- μεσημβριάζω .... faire la sieste
  [méssèmmbriadzô]
- ἀναπαύομαι .... se reposer
  [anapaouomaï]
- δειπνέω-ῶ .... dîner *(manger)*
  [deïpnéô-deïpnô]
- βαλανεύω .... préparer un bain
  [balanéouô]
- ἀποδύομαι .... se déshabiller
  [apoduomaï]
- ὁ ὕπνος, ου .... le sommeil
  [upnos, upnou]
- ἡ ἀγρυπνία, ας .... l'insomnie
  [agrupnia, agrupnias]
- καθεύδω .... dormir
  [katéoudô]
- ὀνειροπολέω-ῶ .... rêver
  [oneïropoléô-oneïropolô]

- φορέω-ῶ .... porter
  [foréô-forô]
- ἁρμόζω *(+ dat.)* .... aller (bien), convenir
  [armodzô]
- τὰ ἱμάτια μεταβάλλομαι ... changer de vêtements
  [ta imatia métaballomaï]

Les vêtements

- ὁ χιτών, ῶνος .... la tunique, le chiton
  [kitônn, kitônos]
- ὁ πέπλος, ου .... la tunique de dessus *(pour une femme)*, le péplos
  [péplos, péplou]
- ἡ στολή, ῆς .... la robe, l'habit *(sens général)*
  [stolè, stolès]
- τὸ ἱμάτιον, ίου .... le manteau, l'himation
  [imationn, imatiou]
- ἡ χλανίς, ίδος .... le manteau *(élégant)*
  [klanis, klanidos]
- τὸ ἔγκυκλον, ου .... la veste, l'encycle *(manteau de femme)*
  [énnkuklonn, énnkuklou]
- ἡ χλαμύς, ύδος .... le manteau *(des militaires)*, la chlamyde
  [klamus, klamudos]

Les chaussures

- τὸ ὑπόδημα, ατος...... la chaussure
  [upodèma, upodèmatos]
- αἱ Λακωνικαί, ῶν...... les Spartiates *(chaussures d'homme)*
  [lacônikaï, lakônikônn]
- αἱ Περσικαί, ῶν........ les pantoufles *(à la mode persane)*
  [persikaï, persikônn]
- οἱ κόθορνοι, ων........ les cothurnes *(bottines montantes)*
  [kotornoï, kotornônn]

Les accessoires

- ὁ πέτασος, ου........... le chapeau *(à larges bords)*, le pétase *(pour les voyageurs)*
  [pétassos, pétassou]
- τὸ κάλυμμα, ατος...... la capuche, le voile *(pour les femmes)*
  [kalumma, kalummatos]
- ἡ τιάρα, ας.............. la tiare *(turban conique des Perses)*
  [tiara, tiaras]
- ἡ ζώνη, ης.............. la ceinture
  [dzônè, dzônès]
- ἡ περόνη, ης............ l'agrafe *(pour fixer la tunique ou le manteau)*
  [péronè, péronès]

S'habiller

Les bijoux

- ὁ κόσμος, ου .... la parure
  [kosmos, kosmou]
- ὁ δακτύλιος, ου .... la bague, l'anneau
  [daktulios, daktuliou]
- τὸ ψέλιον, ου.......... le bracelet
  [psélionn, pséliou]
- ὁ ὅρμος, ου............. le collier
  [ormos, ormou]
- ὁ χρυσός, οῦ .... l'or
  [krussos, krussou]
- ὁ ἄργυρος, ου.......... l'argent
  [arguros, argurou]

τὸ ἐνώτιον, ου
la boucle d'oreilles
[énôtionn, énôtiou]

Les matières

- Τοῦτ' ἔστι... *(+ gén.)* ... C'est en...
  [tout'ésti]
- ἐρίου......... laine
  [ériou]
- λίνου......... lin
  [linou]
- σηρικοῦ..... soie
  [sèrikou]
- δέρματος ...... fourrure, peau
  [dérmatos]

Les couleurs

- τὸ χρῶμα, ατος [krôma, krômatos] .... la couleur

λευκός, λευκή, λευκόν
blanc(he)
[léoukos, léoukè, léoukonn]

μέλας, μέλαινα, μέλαν
noir(e)
[mélas, mélaïna, mélann]

ἐρυθρός, ἐρυθρά, ἐρυθρόν
rouge
[érutros, érutra, érutronn]

χλωρός, χλωρά, χλωρόν
vert(e)
[klôros, klôra, klôronn]

κίτρινος, κίτρινή, κίτρινόν
jaune
[kitrinos, kitrinè, kitrinonn]

κυανοῦς, κυανῆ, κυανοῦν
bleu(e)
[kuanous, kuanè, kuanounn]

ῥοδοειδής, ῥοδοειδές
rose
[rodoeïdès, rodoeïdés]

ἰώδης, ἰώδές
violet
[iôdès, iôdés]

12 En ville

- ἡ πόλις, εως ..... la ville, la cité
  [polis, poléôs]
- ἡ χώρα, ας ...... la campagne
  [kôra, kôras]
- τὸ τεῖχος, ους ... le rempart
  [teïkos, teïkous]
- αἱ πυλαί, ῶν .... les portes *(de la ville)*
  [pulaï, pulônn]
- ὁ τόπος, ου ..... le lieu
  [topos, topou]
- ἡ ἀγορά, ᾶς ..... la place publique, l'agora
  [agora, agoras]
- ἡ κρήνη, ης ..... la fontaine
  [krènè, krènès]
- ἡ ὁδός, οῦ ...... la rue, la route
  [odos, odou]
- ὁ ἑρμῆς, οῦ ..... l'hermès *(statue du dieu qui marque les carrefours)*
  [ermès, ermou]
- ἡ γέφυρα, ας ... le pont
  [guéfura, guéfuras]
- ἡ στοά, ᾶς ...... le portique
  [stoa, stoas]

ἡ ἀκρόπολις, εως
la ville haute *(l'acropole)*,
la citadelle
[akropolis, akropoléôs]

ὁ κίων, ονος
la colonne
[kiônn, kionos]

- ὁ περίπατος, ου........ la promenade
  [péripatos, péripatou]

Les bâtiments

- τὸ δημόσιον, ου .... le bâtiment (public)
  [dèmossionn, dèmossiou]
- τὰ θερμά, ῶν .... les thermes
  [térma, térmônn]
- ὁ λιμήν, ένος............ le port
  [limènn, liménos]
- τὸ νεώριον, ου.......... l'arsenal
  [néôrionn, néôriou]
- τὸ καπηλεῖον, ου...... la boutique
  [kapèleïonn, kapèleïou]
- τὸ ἐργαστήριον, ου... l'atelier
  [érgastèrionn, érgastèriou]
- ἡ τράπεζα, ης .... la banque
  [trapédza, trapédzas]
- ἡ βιβλιοθήκη, ης ...... la bibliothèque
  [bibliotèkè, bibliotèkès]
- τὸ διδασκαλεῖον, ου.. l'école
  [didaskaleïonn, didaskaleïou]
- τὸ θέατρον, ου......... le théâtre
  [téatronn, téatrou]

ὁ ναός, οῦ
le temple
[naos, naou]

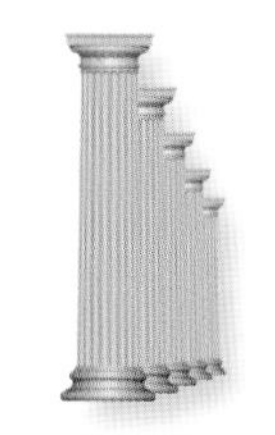

ὁ περίστυλος, ου
la colonnade, le péristyle
[péristulos, péristulou]

Ἆρα δύνασαί μοι λέγειν ποῦ ἐσμεν;
[ara dunasaï moï légueïnn pou ésmènn ?]
Peux-tu me dire où nous sommes ?
(le vouvoiement n'existait pas en grec)

Βουλοίμην ἂν ἔρχεσθαι... *+ acc. ou εἰς + acc.*
[bouloïmènn ann érkéstaï]
Je voudrais aller à...

Ζητῶ φαρμακοπώλην τινά.
[dzètô farmakopôlènn tina]
Je cherche un pharmacien.

Ποῦ ἐστιν ὁ βωμὸς τοῦ Διός ;
[pou éstinn o bômos tou dios ?]
Où se trouve l'autel de Zeus ?

Εὐθύ ἐστιν;
[éoutu éstinn ?]
C'est tout droit ?

Ἆρα δεῖ εἰς δεξιὰν ἢ εἰς ἀριστερὰν τρέπεσθαι;
[ara deï eïs déksiann è eïs aristérann trépéstaï ?]
Il faut tourner à droite ou à gauche ?

Πόρρω ἐστίν;
[porrô éstinn ?]
Est-ce loin ?

Ἔξεστι ἐκεῖσε πεζῇ πορεύεσθαι;
[éksésti ékeïssé pédzè poréouéstaï ?]
Peut-on s'y rendre à pied ?

Δύνασαί μοι δηλοῦν τὴν εἰς τὰ Προπύλαια ὁδὸν;
[dunassaï moï dèlounn tènn eïs ta propulaïa odonn ?]
Peux-tu m'indiquer (me montrer) le chemin des Propylées ?

Εἰς ἄστυ καταβαίνω.
[eïs astu katabaïnô]
Je descends en ville.

Νομίζω τῆς ὁδοῦ σὲ ἁμαρτάνειν.
[nomidzô tès odou sé amartaneïnn]
Je pense que tu te trompes de chemin.

Ἥκω εἰς τὴν οἰκίαν / οἴκαδε.
[èkô eïs tènn oïkiann / oïkadé]
Je suis arrivé(e) à la maison.

Ἐθέλεις με πλησίον τῆς ἀκροπόλεως ἄγειν;
[ételeïs mé plèssionn tès akropoléôs agueïnn ?]
Veux-tu me conduire près de l'Acropole ?

Περιπατῶ κατὰ τὴν πόλιν.
[péripatô kata tènn polinn]
Je me promène dans la ville.

13 La religion

- ὁ θεός, οῦ .... le dieu
  [téos, téou]
- ὁ δαίμων, ονος .... la divinité
  [daïmônn, daïmonos]
- ὁ ἥρως, ωος .... le héros
  [èrôs, èrôos]
- ἡ νύμφη, ης .... la nymphe
  [nummfè, nummfès]

ἡ θεά, ᾶς
la déesse
[téa, téas]

- βροτός, οῦ, βροτός, οῦ, βροτόν, οῦ .... mortel(le)
  [brotos, brotou | brotos, brotou | brotonn, brotou]
- ἀθάνατος, ου, ἀθάνατος, ου, ἀθάνατον, ου immortel(le)
  [atanatos, atanatou | atanatos, atanatou | atanatonn, atanatou]
- ἱερός, οῦ, ἱερά, ᾶς, ἱερόν, οῦ .... sacré
  [iéros, iérou | iéra, iéras | iéronn, iérou]
- ἅγιος, ου, ἅγια, ας, ἅγιον, ου .... saint(e)
  [aguios, aguiou | aguia, aguias | aguionn, aguiou]
- ἄθεος, ου, ἄθεος, ου, ἄθεον, ου .... athée
  [atéos, atéou | atéos, atéou | atéonn, atéou]
- ὅσιος, ου, ὅσια, ας, ὅσιον, ου .... pieux, pieuse
  [ossios, ossiou | ossia, ossias | ossion, ossiou]
- ἀσεβής, οῦς, ἀσεβές, οῦς .... impie
  [assébès, assébous | assébés, assébous]

• ἡ εὐσέβεια, ας .... la piété
[éoussébeïa, éoussébeïas]

• ἡ δεισιδαιμονία, ας .... la superstition
[deïsidaïmonia, deïsidaïmonias]

• ὁ Ἅιδης, ου .... le séjour des morts, l'Hadès
[adès, adou]

Le culte

• ὁ ἱερεύς, έως .... le prêtre
[iéréous, iéréôs]

• τὸ ἱερόν, οῦ............ le sanctuaire
[iéronn, iérou]

• ὁ βωμός, οῦ .... l'autel
[bômos, bômou]

• θύω .... offrir un sacrifice
[tuô]

• τὸ σφάγιον, ου......... la victime
[sfaguionn, sfaguiou]

• σφάζω, (aoriste) ἔσφαξα. égorger une victime
[sfadzô (ésfaksa)]

• ἡ πομπή, ῆς............ la procession
[pommpè, pommpès]

ἡ θεράπεια, ας
le culte
[térapeïa, térapeïas]

• τὸ ἀνάθημα, ατος .... l'offrande religieuse
[anatèma, anatèmatos] *(par exemple une statue, une couronne, un trépied...)*

• ἡ σπονδή, ῆς .... la libation *(constituée de lait, de miel, de vin ou d'eau)*
[sponndè, sponndès]

• καθαρός, οῦ, καθαρά, ᾶς, καθαρόν, οῦ .. pur(e)
[kataros, katarou | katara, kataras | kataronn, katarou]

• καθαίρω, *(aoriste)* ἐκάθηρα ..... purifier
[kataïrô (ékatèra)]

• μιαίνω, *(aoriste)* ἐμίανα .... souiller
[miaïnô (émiana)]

• μίασμα, ατος .... la souillure
[miasma, miasmatos]

• ἱεροσυλέω-ῶ .... piller un temple, être sacrilège
[iérosuléô-iérosulô]

L'homme et les dieux

• ἡ εὐχή, ῆς .... la prière
[éoukè, éoukès]

• εὔχομαι *(+ dat.)* .... prier un dieu
[éoukomaï]

• ἱκετεύω .... supplier
[ikétéouô]

- ἡ ἀρά, ᾶς .... la malédiction
  [ara, aras]
- τὸ μυστήριον, ου .... le culte à mystère
  [mustèrionn, mustèriou]
- τὸ σημεῖον, ου .... le prodige, le signe
  [sèmeïonn, sèmeïou]
- τὸ φάντασμα, ατος .... l'apparition
  [fanntasma, fanntasmatos]
- ἡ μανία, ας .... le délire prophétique, la folie
  [mania, manias]
- ἡ Πυθία, ας .... la Pythie
  [Putia, Putias]
- ὁ ἐνθουσιασμός, οῦ .... l'inspiration divine
  [énntoussiasmos, énntoussiasmou]
- ὁ προφήτης, ου .... l'interprète des dieux, le prophète
  [profètès, profètou]
- ὁ μάντις, εως .... le devin
  [manntis, manntéôs]
- ὁ γόης, ητος .... le sorcier
  [goès, goètos]
- ἡ μαγεία, ας .... la magie
  [magueïa, magueïas]

Les dieux grecs

ὁ Ἄρης
Arès

ὁ Ζεύς
Zeus

ὁ Ἀπόλλων
Apollon

ἡ Ἑστία
Hestia

ὁ Ποσειδῶν
Poséidon

ἡ Ἀφροδίτη
Aphrodite

Les dieux grecs

ἡ Ἄρτεμις
Artémis

ὁ Ἥφαιστος
Héphaïstos

ἡ Ἥρα
Héra

ὁ Ἑρμῆς
Hermès

ὁ Ἅιδης
Hadès

ἡ Ἀθηνᾶ
Athéna

14 La vie politique

Régimes politiques et citoyenneté

- ἡ πατρίς, ίδος .... la patrie
  [patris, patridos]
- ἡ πολιτεία, ας .... le droit de cité, le régime politique, la constitution
  [politeïa, politeïas]
- ὁ πολίτης, ου .... le citoyen
  [politès, politou]
- πολιτεύομαι .... être citoyen, avoir une activité politique
  [politéouomaï]
- ὁ μέτοικος, ου .... le métèque *(l'étranger domicilié à Athènes)*
  [métoïkos, métoïkou]
- ὁ ξένος, ου .... l'étranger
  [ksénos, ksénou]
- ὁ βάρβαρος, ου .... le barbare *(celui qui n'est pas grec, l'étranger)*
  [barbaros, barbarou]
- ἡ ἀρχή, ῆς .... le gouvernement, la magistrature, le pouvoir
  [arkè, arkès]
- ἡ ἀναρχία, ας .... l'absence de gouvernement, l'anarchie
  [anarkia, anarkias]
- ὁ τύραννος, ου .... le tyran
  [turannos, turannou]

• ὁ βασιλεύς, έως .... le roi
[bassiléous, bassiléôs]

La démocratie

• ἡ δημοκρατία, ας .... la démocratie
[dèmokratia, dèmokratias]

• ὁ δῆμος, ου .... le peuple
[dèmos, dèmou]

• ἡ ἐλευθερία, ας .... la liberté
[éléoutéria, éléoutérias]

• ἡ ἰσονομία, ας .... l'égalité devant la loi
[issonomia, issonomias]

• τὸ κοινόν, οῦ .... l'État *(de l'adjectif qui signifie « commun »)*
[koïnonn, koïnou]

• ἡ ἐκκλησία, ας .... l'Assemblée (du peuple)
[ékklèssia, ékklèssias]

• ὁ νόμος, ου .... la loi
[nomos, nomou]

• ψηφίζομαι .... voter
[psèfidzomaï]

• ὀστρακίζω .... ostraciser
[ostrakidzô]

• φεύγω, *(aoriste)* ἔφυγον... être exilé, être poursuivi en justice
[féougô (éfugonn)]

15 La guerre

- ὁ πόλεμος, ου .... la guerre
[polémos, polémou]
- ἡ στρατιά, ᾶς .... l'armée
[stratia, stratias]
- ὁ ἡγεμών, όνος .... le général
[èguémônn, èguémonos]
- ὁ στρατηγός, οῦ .... le stratège
[stratègos, stratègou]
- ὁ ὁπλίτης, ου .... l'hoplite *(homme en armes)*
[oplitès, oplitou]
- ὁ πολέμιος, ου .... l'ennemi
[polémios, polémiou]
- ὁ σύμμαχος, ου .... l'allié
[summakos, summakou]
- ἡ μάχη, ης .... la bataille
[makè, makès]
- ἡ ὁρμή, ῆς .... l'assaut
[ormè, ormès]
- ἡ φυγή, ῆς .... la fuite
[fugè, fugès]
- κινδυνεύω .... courir un danger, combattre
[kinndunéouô]

ὁ στρατιώτης, ου
le soldat
[stratiôtès, stratiôtou]

ὁ ἱππεύς, έως
le cavalier
[ippéous, ippéôs]

- ἡ ναυμαχία, ας .... le combat naval
  [naoumakia, naoumakias]
- ἡ τριήρης, ους .... la trière
  [trièrès, trièrous]
- ἡ πολιορκία, ας .... le siège d'une ville
  [poliorkia, poliorkias]
- ἡ μηχανή, ῆς .... la machine de guerre
  [mèkanè, mèkanès]
- ἡ εἰρήνη, ης .... la paix
  [eïrènè, eïrènès]

πολεμέω-ῶ
faire la guerre
[poléméô-polémô]

Les armes

- τὰ ὅπλα, ων .... les armes
  [opla, oplônn]
- ὁ θώραξ, ακος .... la cuirasse
  [toraks, tôrakos]
- ἡ ἀσπίς, ίδος .... le bouclier
  [aspis, aspidos]
- τὸ ξίφος, ους .... l'épée
  [ksifos, ksifous]
- ἡ λόγχη, ης .... la lance
  [lonnkè, lonnkès]
- τὸ τόξον, ου .... l'arc
  [toksonn, toksou]

τὸ κράνος, ους
le casque
[kranos, kranous]

16 Le corps humain

- τὸ πρόσωπον, ου .... le visage
  [prossôponn, prossôpou]
- τὸ μέτωπον, ου .... le front
  [métôponn, métôpou]
- ὁ ὀφθαλμός, οῦ .... l'œil
  [oftalmos, oftalmou]
- τὸ οὖς, ὠτός .... l'oreille
  [ous, ôtos]
- ἡ ῥίς, ῥινός .... le nez
  [ris, rinos] *(au pluriel : les narines)*
- τὸ στόμα, ατος .... la bouche
  [stoma, stomatos]
- τὸ χεῖλος, ους .... la lèvre
  [keïlos, keïlous]
- τὸ γένειον, ου .... le menton
  [guéneïonn, guéneïou]
- ἡ γλῶττα, ης .... la langue
  [glôtta, glôttès]
- ὁ ὀδούς, ὀδόντος .... la dent
  [odous, odonntos]
- ὁ τράχηλος, ου .... le cou, la nuque
  [trakèlos, trakèlou]

ἡ κεφαλή, ῆς
la tête
[kéfalè, kéfalès]

τὸ σῶμα, ατος
le corps
[sôma, sômatos]

- ὁ ὦμος, ου .... l'épaule
  [ômos, ômou]
- οἱ κόλποι, ων .... les seins
  [kolpoï, kolpônn]
- ἡ γαστήρ, γαστρός .... le ventre
  [gastèr, gastros]
- τὸ νῶτον, ου .... le dos
  [nôtonn, nôtou]
- αἱ πυγαί, ῶν .... les fesses
  [pugaï, pugônn]
- τὸ σκέλος, ους .... la jambe
  [skélos, skélous]
- ὁ μηρός, οῦ .... la cuisse
  [mèros, mèrou]
- τὸ γόνυ, ατος .... le genou
  [gonu, gonatos]
- ὁ πούς, ποδός .... le pied
  [pous, podos]
- ἡ καρδία, ας .... le cœur
  [kardia, kardias]
- τὸ ἧπαρ, ατος .... le foie
  [èpar, èpatos]

ἡ χείρ, χειρός
le bras, la main
[keïr, keïros]

ὁ δάκτυλος, ου
le doigt
[daktulos, daktulou]

τὸ στῆθος, ους
la poitrine
[stètos, stètous]

17 La santé

- ἡ ὀδύνη, ης .... la douleur
[odunè, odunès]

- τὸ φάρμακον, ου ..... le médicament, le poison
[farmakonn, farmakou]

- ἡ κόρυζα, ης .... le rhume
[korudza, korudzès]

- ὁ πταρμός, οῦ .... l'éternuement
[ptarmos, ptarmou]

- ἡ βήξ, βηχός .... la toux
[bèks, bèkos]

- ὁ πυρετός, οῦ .... la fièvre
[purétos, purétou]

- ὁ σπασμός, οῦ .... le spasme
[spasmos, spasmou]

- ὁ ἴλιγγος, ου .... le vertige
[ilinngos, ilinngou]

- ἡ κεφαλαλγία, ας .... le mal de tête
[kéfalalguia, kéfalalguias]

- ἡ διάρροια, ας .... la diarrhée
[diarroïa, diarroïas]

- ὁ κάματος, ου .... la fatigue
[kamatos, kamatou]

τὸ τραῦμα, ατος
la blessure
[traouma, traoumatos]

Κακῶς ἔχω.
[kakôs ékô]
Je me sens mal.

Ἀλγῶ τὴν κεφαλὴν / τὸν λαιμόν / τὸν πόδα.
[algô tènn kéfalènn / tonn laïmonn / tonn poda]
J'ai mal à la tête / à la gorge / au pied.

Πυρέττω.
[puréttô]
J'ai de la fièvre.

Ἐδήχθην ὑπ᾽ ὄφεος.
[édèktèn up'oféos]
J'ai été mordu(e) par un serpent.

Ἐκαύθην τὴν χεῖρα.
[ékaoutènn tènn keïra]
Je me suis brûlé la main.

Καρδιώττω.
[kardiôttô]
J'ai mal au cœur, j'ai des maux d'estomac.

Ναυτιῶ.
[naoutiô]
J'ai la nausée.
J'ai le mal de mer.

18 Boire et manger

- πίνω, *(aoriste)* ἔπιον ..... boire
  [pinô (épionn)]
- ἐσθίω, *(aoriste)* ἔφαγον.. manger
  [éstiô (éfagonn)]
- γεύομαι .... goûter *(un plat)*
  [guéouomaï]
- μαγειρεύω .... cuisiner, faire la cuisine
  [magueïréouô]
- παρασκευάζω .... préparer
  [paraskéouadzô]

ἡ ἐλάα, ας
l'olive
[élaa, élaas]

Les repas

- τὸ ἀκράτισμα, ατος ... le petit déjeuner
  [akratisma, akratismatos]
- τὸ ἄριστον, ου .... le déjeuner
  [aristonn, aristou]
- τὸ δεῖπνον, ου .... le dîner
  [deïpnonn, deïpnou]
- τὸ συμπόσιον, ου ..... le banquet
  [summpossionn, summpossiou]

ὁ σῖτος, ου
le blé
[sitos, sitou]

Les boissons

- τὸ ὕδωρ, ὕδατος .... l'eau
  [udôr, udatos]

- τὸ γάλα, γάλακτος........ le lait
  [gala, galaktos]
- ὁ οἶνος, ου................ le vin
  [oïnos, oïnou]
- ὁ κυκεών, ῶνος........... le cycéon *(ou « gruau d'orge », boisson à base d'orge, d'eau, d'herbes et d'aromates)*
  [kukéônn, kukéônos]
- κεράννυμι................ mêler l'eau au vin *(les Grecs buvaient le vin dilué dans de l'eau)*
  [kérannumi]

<u>Le petit déjeuner</u>

- ὁ ἄρτος, ου............... le pain
  [artos, artou]
- ἡ μᾶζα, ης................ la galette
  [madza, madzès]
- ὁ τυρός, οῦ............... le fromage
  [turos, turou]
- αἱ κριθαί, ῶν.............. l'orge
  [kritai, kritônn]
- τὸ μέλι, ιτος............... le miel
  [méli, mélitos]
- ἐσθίειν κριθὰς μόνας... « être au pain sec et à l'eau » *(littéralement, « ne manger que de l'orge »)*
  [éstieïn kritas monas]

τὸ ᾠόν, οῦ
l'œuf
[ôonn, ôou]

Boire et manger

Les condiments

τὸ ἔλαιον, ου
l'huile (d'olive)
[élaïonn, élaïou]

- ὁ ἅλς, ἁλός .... le sel
  [als, alos]
- τὸ πέπερι, εως .... le poivre
  [pépéri, pépéréôs]
- τὸ ὄξος, ους .... le vinaigre
  [oksos, oksous]
- ὁ θύμος, ου .... le thym
  [tumos, tumou]

La viande

- τὰ βόεια (κρέα), ιων (ων) .... le bœuf
  [boeïa (kréa), boeïônn (kréônn)]
- τὰ χοίρεια (κρέα), ιων (ων) .... le porc
  [koïreïa (kréa), koïreïônn (kréônn)]
- τὰ ὀπτανά, ῶν .... le rôti
  [optana, optanônn]

Les desserts

- ἡ πυριάτη, ης .... le yaourt
  [puriatè, puriatès]
- ὁ πλακοῦς, οῦντος .... le gâteau plat
  [plakous, plakounntos]

Les fruits

τὸ μῆλον, ου
mèlonn, mèlou
la pomme

τὸ ἄπιον, ου
apionn, apiou
la poire

τὸ χρυσοῦν μῆλον, ου
krusoun mèlonn,
krusou mèlou
l'orange

τὸ Περσικὸν
μῆλον, ου
pérsikonn mèlonn,
pèrsikou mèlou
la pêche

τὸ κοκκύμηλον,
ου
kokkumèlonn,
kokkumèlou
la prune

τὸ σῦκον, ου
sukonn, sukou
la figue

τὸ πραικόκιον, ου
praïkokionn,
praïkokiou
l'abricot

τὸ κίτρον, ου
kitronn, kitrou
le citron

ἡ σταφυλή, ῆς
stafulè, stafulès
le raisin,
la grappe de raisin

Les poissons

ὁ μύαξ, ακος
muaks, muakos
la moule

ὁ θύννος, ου
tunnos, tunnou
le thon

ὁ καρκίνος, ου
karkinos, karkinou
le crabe

ὁ ξιφίας, ου
ksifias, ksifiou
l'espadon

ὁ ἴσοξ, οκος
issoks, issokos
le brochet

ὁ κυπρῖνος, ου
kuprinos, kuprinou
la carpe

ὁ πολύπους,-ποδος
polupous,
polupodos
le poulpe

ὁ κάραβος, ου
karabos, karabou
la langouste,
la langoustine

ἡ ἔγχελυς, υος
énnkélus,
énnkéluos
l'anguille

Les légumes

τὸ κάρδαμον, ου
kardamonn,
kardamou
le cresson

οἱ φάσηλοι, ων
fasèloi, fasèlônn
les haricots

οἵ ἐρέβινθοι, ων
érébinntoï,
érébinntônn
les pois chiche

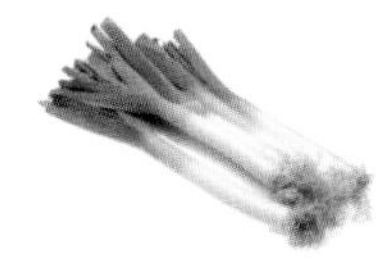

τὸ πράσον, ου
prassonn, prassou
le poireau

οἱ κύαμοι, ων
kuamoï, kuamônn
les fèves

ὁ μύκης, ητος
mukès, mukètos
le champignon

ἡ κολοκύνθη, ης
kolokunntè,
kolokunntès
la courge, la citrouille

τὸ κρόμμυον, ου
krommuonn,
krommuou
l'oignon

τὸ σκόροδον, ου
skorodonn,
skorodou
l'ail

19 Les nombres

Les nombres cardinaux

1 **εἷς**, ἑνός, **μία**, μιᾶς, **ἕν**, ἑνός
[eïs, enos | mia, mias | énn, enos]

2 **δύο**, δυοῖν
[duo, duoïnn]

3 **τρεῖς**, τριῶν, **τρία**, τριῶν
[treïs, triônn | tria, triônn]

4 **τέτταρες**, τεττάρων, **τέτταρα**, τεττάρων
[téttarès, téttarônn | téttara, téttarônn]

5 **πέντε**
[pénnté]

6 **ἕξ**
[èks]

7 **ἑπτά**
[épta]

8 **ὀκτώ**
[oktô]

9 **ἐννέα**
[énnéa]

10 **δέκα**
[déka]

11 **ἕνδεκα**
[éndéka]

12 **δώδεκα**
[dôdéka]

13 **τρεῖς, -ία καὶ δέκα**
[treïs | tria kaï déka]

14 **τέτταρες, -ρα καὶ δέκα**
[téttarès | téttara kaï déka]

15 **πεντεκαίδεκα**
[pénntékaïdéka]

16 **ἑκκαίδεκα**
[ékkaïdéka]

17 **ἑπτακαίδεκα**
[éptakaïdéka]

18 **ὀκτωκαίδεκα**
[oktôkaïdéka]

19 **ἐννεακαίδεκα**
[énnéakaïdéka]

20 **εἴκοσι (ν)**
[eïkossi(nn)]

Les nombres ordinaux

1er ***πρῶτος, η, ον***
[prôtos | protè | prôtonn]

2e ***δεύτερος, α, ον***
[déoutéros, déoutéra, déoutéronn]

3e ***τρίτος, η, ον***
[tritos | tritè | tritonn]

4e ***τέταρτος, η, ον***
[tétartos | tétartè | tétartonn]

5e ***πέμπτος, η, ον***
[pémptos | pémptè | pémmptonn]

6e ***ἕκτος, η, ον***
[éktos | éktè | éktonn]

7e ***ἕβδομος, η, ον***
[ébdomos | ébdomè | ébdomonn]

8e ***ὄγδοος, η, ον***
[ogdoos | ogdoè | ogdoonn]

9e ***ἕνατος, η, ον***
[énatos | énatè | énatonn]

10e ***δέκατος, η, ον***
[dékatos | dékatè | dékatonn]

20 L'espace et le temps

Où ?

- ἐνθάδε / δεῦρο *(sans mvt. / avec mvt.)* ici
  [énntadé / déouro]
- ἐκεῖ / ἐκεῖσε *(sans mvt. / avec mvt.)* .... là-bas
  [ékeï / ékeïsé]
- ἐπὶ δεξιᾶς .... à droite
  [épi déksias]
- ἐπ'ἀριστερᾶς .... à gauche
  [ép'aristéras]
- πρό *(+ gén.)* .... devant
  [pro]
- ὄπισθεν *(+ gén.)* .. derrière
  [opisténn]

Quand ?

- νῦν .... maintenant
  [nunn]
- πρό *(+ gén.)* .... avant
  [pro]
- μετά *(+ acc.)* .... après
  [méta]
- ἀεί .... toujours
  [aeï]
- οὐδέποτε .... jamais
  [oudépoté]

La division du temps

- ἡ ὥρα, ας .... l'heure
  [ôra, ôras]
- ἡ ἑβδομάς, άδος .... la semaine
  [ébdomas, ébdomados]

- ὁ μήν, μηνός ... le mois
[mènn, mènos]

- τὸ ἔτος, ους .... l'année
[étos, étous]

Les saisons

- τὸ ἔαρ, ἔαρος .... le printemps
[éar, éaros]
- τὸ θέρος, ους .... l'été
[téros, térous]
- ἡ ὀπώρα, ας .... la fin de l'été, l'automne
[opôra, opôras]
- ὁ χειμών, ῶνος .... l'hiver
[keïmônn, keïmônos]

La journée

- ἡ πρωΐα, ας .... le matin
[prôïa, prôïas]
- ἡ ἡμέρα, ας .... le jour
[èméra, èméras]
- ἡ ἑσπέρα, ας ... le soir
[éspéra, éspéras]
- ἡ νύξ, νυκτός ... la nuit
[nuks, nuktos]

- τήμερον (σήμερον) .... aujourd'hui
[tèméronn (sèméronn)]
- αὔριον .... demain
[aourionn]
- χθές .... hier
[ktés]

Quelle heure est-il ?

Πηνίκ'ἐστι τῆς ἡμέρας / τῆς νυκτός;
[pènik'ésti tès èméras / tès nuktos ?]
Quelle heure est-il du jour / de la nuit ?

Ἡ μεσημβρία.
[È méssèmmbria.]
Midi

Μέσαι νύκτες.
[méssaï nuktés.]
Minuit

__L'instant et la durée__

- ὁ χρόνος, ου .... le temps, la durée, l'époque
  [kronos, kronou]
- τὸ παρόν, όντος .... le présent
  [paronn, paronntos]
- τὸ μέλλον, οντος .... le futur
  [méllonn, méllonntos]
- τὰ πάλαι .... le passé
  [palaï]

Lexique français - grec

A

*l'***abeille** ἡ μέλιττα [mélitta] → 9
*l'***acteur** ὁ ὑποκριτής [upokritès] → 6
*l'***adversaire** ὁ ἀνταγωνιστής [anntagônistès] → 7
*l'***affection** ἡ φιλία [filia] → 2
*l'***âge** ἡ ἡλικία [èlikia] → 1
*l'***agora** ἡ ἀγορά [agora] → 12
*l'***agriculture** ἡ γεωργία [guéôrguia] → 9
*l'***aigle** ὁ ἀετός [aétos] → 9
aller (bien) ἁρμόζω (+ dat.) [armodzô] → 11
aller au marché εἰς τὴν ἄγοραν ἔρχομαι [eïs tèn agorann érkomaï] → 10
*l'***allié** ὁ σύμμαχος [summakos] → 15
*l'***âme** ἡ ψυχή [psukè] → 2
*l'***amitié** ἡ φιλία [filia] → 2
*l'***amphore** ὁ ἀμφορεύς [ammforéous] → 5
s'amuser εὐφραίνομαι [éoufraïnomaï] → 7
*l'***anarchie** ἡ ἀναρχία [anarkia] → 14
les **ancêtres** οἱ πρόγονοι [progonoï] → 1
*l'***anneau** ὁ δακτύλιος [daktulios] → 11
*l'***année** τὸ ἔτος [étos] → 20
*l'***appartement des femmes** ἡ γυναικωνῖτις [gunaïkônitis] → 5
*l'***appartement des hommes** ὁ ἀνδρών [anndrônn] → 5
apprendre μανθάνω [manntanô] → 4
après μετά [méta] → 20
*l'***arc** τὸ τόξον [toksonn] → 15
*l'***arc-en-ciel** ἡ ἶρις [iris] → 8
*l'***architecte** ὁ ἀρχιτέκτων [arkitektônn] → 3
*l'***argent** ὁ ἄργυρος [arguros] → 11
*l'***armée** ἡ στρατιά [stratia] → 15
les **armes** τὰ ὅπλα [opla] → 15
*l'***art** ἡ τέχνη [téknè] → 6
*l'***art des sophistes** ἡ σοφιστική [sofistikè] → 4
*l'***artisan** ὁ δημιουργός [dèmiourgos] → 3
*l'***artiste** ὁ τεχνίτης [téknitès] → 6
*l'***Assemblée (du peuple)** ἡ ἐκκλησία [ékklèssia] → 14
*l'***atelier** τὸ ἐργαστήριον [érgastèrionn] → 12
athée ἄθεος [atéos] → 13
*l'***athlète** ὁ ἀθλητής [atlètès] → 7
aujourd'hui τήμερον (σήμερον) [tèméronn (sèméronn)] → 20
au revoir ! ❶ (à une personne) χαῖρε [kaïré] ❷ (à plusieurs personnes) χαίρετε [kaïrété]
*l'***autel** ὁ βωμός [bômos] → 13
*l'***autel domestique** ἡ ἑστία [éstia] → 5
*l'***automne** ἡ ὀπώρα [opôra] → 20
avant πρό [pro] → 20

B

la **bague** ὁ δακτύλιος [daktulios] → 11
le **bain** (l'établissement) τὸ λουτρόν [loutronn] → 5
la **balle** ἡ σφαῖρα [sfaïra] → 7
le **banc** τὸ βάθρον [batronn] → 5
la **banque** ἡ τράπεζα [trapédza] → 12
le **banquet** τὸ συμπόσιον [summpossionn] → 18
le **barbare** ὁ βάρβαρος [barbaros] → 14
la **barbe** ὁ πώγων [pôgônn] → 1
la **bataille** ἡ μάχη [makè] → 15
le **bâtiment (public)** τὸ δημόσιον [dèmossionn] → 12
battre (quelqu'un) νικάω-ῶ [nikaô-nikô] → 7
beau καλός [kalos] → 1
le **bébé** τὸ παιδίον [païdionn] → 1
le **berger** ὁ ποιμήν [poïmènn] → 3
la **bibliothèque** ἡ βιβλιοθήκη [bibliotèkè] → 12
blanc λευκός [léoukos] → 1, 11
le **blé** ὁ σῖτος [sitos] → 18
la **blessure** τὸ τραῦμα [traouma] → 17
bleu κυανοῦς [kuanous] → 1, 11
le **bœuf** τὰ βόεια (κρέα) [boeïa (kréa)] → 18
boire πίνω [pinô] → 18
la **boîte** ἡ πυξίς [puksis] → 5
bonjour ! ❶ (à une personne) χαῖρε [kaïré] ❷ (à plusieurs personnes) χαίρετε [kaïrété]
bonsoir ! ❶ (à une personne) Χαῖρε [kaïré] ❷ (à plusieurs personnes) χαίρετε [kaïrété]

la bouche τὸ στόμα [stoma] → 16
la boucle d'oreilles τὸ ἐνώτιον [énôtionn] → 11
le bouclier ἡ ἀσπίς [aspis] → 15
la boutique τὸ καπηλεῖον [kapèleïonn] → 12
le bracelet τὸ ψέλιον [psélionn] → 11
le bras ἡ χείρ [keïr] → 16
la brochette ὁ ὀβελίσκος [obéliskos] → 5
le bronze ὁ χαλκός [kalkos] → 6
se brosser (les cheveux) κτενίζομαι (τὰς κόμας) [kténidzomaï (tas komas)] → 10

C

le cadeau τὸ δῶρον [dôronn] → 2
calculer λογίζομαι [loguidzomaï] → 4
le camarade ὁ ἑταῖρος [étaïros] → 2
la campagne ἡ χώρα [kôra] → 9, 2
la capuche τὸ κάλυμμα [kalumma] → 11
le casque τὸ κράνος [kranos] → 15
le cavalier ὁ ἱππεύς [ippéous] → 15
la ceinture ἡ ζώνη [dzônè] → 11
célibataire ἄγαμος [agamos] → 1
la chaise ἡ καθέδρα [katédra] → 5
la chambre τὸ δωμάτιον [dômationn] → 5
le champ ὁ ἀγρός [agros] → 9
le chant ἡ ᾠδή [ôdè] → 7
chanter ᾄδω [adô] → 7
le chanteur ὁ ᾠδός [ôdos] → 6
le chapeau (à larges bords) ὁ πέτασος [pétassos] → 11
le char τὸ ἅρμα [arma] → 7
la chariot τὸ ζεῦγος [dzéougos] → 9
la charrue τὸ ἄροτρον [arotronn] → 9
la chasse ἡ θήρα [tèra] → 7
le chat ὁ αἴλουρος [aïlouros] → 9
(très) chaud (σφόδρα) θερμός [(sfodra) térmos] → 8
la chaussure τὸ ὑπόδημα [upodèma] → 11
le chien ὁ κύων [kuônn] → 9
le chœur ὁ χορός [koros] → 6
la citadelle ἡ ἀκρόπολις [akropolis] → 12
la cité ἡ πόλις [polis] → 1, 12
le citoyen ὁ πολίτης [politès] → 14
la clé ἡ κλείς [kleïs] → 5
le climat ἡ ὥρα [ôra] → 8
le cœur ἡ καρδία [kardia] → 16
le coffre ἡ κιβωτός [kibôtos] → 5
le coffret ἡ πυξίς [puksis] → 5
le collier ὁ ὅρμος [ormos] → 11
la colonne ὁ κίων [kiônn] → 12
le combat naval ἡ ναυμαχία [naoumakia] → 15
combattre κινδυνεύω [kinndunéouô] → 15
la comédie ἡ κωμῳδία [kômôdia] → 6
le commerce ὁ χρηματισμός [krèmatismos] → 3
la communauté ἡ κοινωνία [koïnônia] → 2
le compagnon ὁ ἑταῖρος [étaïros] → 2
la compétition ὁ ἀγών [agônn] → 7
les compétitions olympiques τὰ Ὀλύμπια [olummpia] → 7
compter ἀριθμέω-ῶ [aritméô-aritmô] → 4
le concurrent ὁ ἀνταγωνιστής [anntagônistès] → 7
connaître γιγνώσκω [guignôskô] → 4
la constitution ἡ πολιτεία [politeïa] → 14
convenir ἁρμόζω (+ dat.) [armodzô] → 11
le corps τὸ σῶμα [sôma] → 16
le costume ἡ ἐσθής [éstès] → 6
le cou ὁ τράχηλος [trakèlos] → 16
la couleur τὸ χρῶμα [krôma] → 11
les coulisses ἡ σκηνή [skènè] → 6
la coupe ἡ φιάλη [fialè] → 5
la cour ἡ αὐλή [aoulè] → 5
courir τρέχω [trékô] → 7
la couronne ὁ στέφανος [stéfanos] → 7
la course dans le stade τὸ στάδιον [stadionn] → 7
le cousin ὁ ἀνεψιός [anépsios] → 1
la cousine ἡ ἀνεψιά [anépsia] → 1
le coussin τὸ προσκεφάλαιον [proskéfalaïonn] → 5
le couteau ἡ μάχαιρα [makaïra] → 5
la couverture τὸ στρῶμα [strôma] → 5
le cratère ὁ κρατήρ [kratèr] → 5

la **cruche à vin** ἡ οἰνοχόη [oïnokoè] → 5
la **cuillère** τὸ λίστριον [listrionn] → 5
la **cuirasse** ὁ θώραξ [toraks] → 15
la **cuisine** τὸ μαγειρεῖον [magueïreïonn] → 5
cuisiner μαγειρεύω [magueïréouô] → 18
la **cuisse** ὁ μηρός [mèros] → 16
le **culte** ἡ θεράπεια [térapeïa] → 13
la **culture** ἡ παιδεία [païdeïa] → 4
le **cygne** ὁ κύκνος [kuknos] → 9

D

d'accord ! ὁμολογῶ [omologô]
la **danse** ἡ χορεία [koreïa] → 7
danser ὀρχέομαι-οῦμαι [orkéomaï-orkoumaï] → 7
la **déesse** ἡ θεά [téa] → 13
déjeuner ἀριστάω-ῶ [aristaô-aristô] → 10
le **déjeuner** τὸ ἄριστον [aristonn] → 18
demain αὔριον [aourionn] → 20
la **démocratie** ἡ δημοκρατία [dèmokratia] → 14
la **dent** ὁ ὀδούς [odous] → 16
derrière ὄπισθεν [opisténn] → 20
se **déshabiller** ἀποδύομαι [apoduomaï] → 11
le **dessin** ἡ γραφή [grafè] → 7
dessiner γράφω [grafô] → 7
le **destin** ἡ μοῖρα [moïra] → 2
le **deuil** ὁ πένθος [pénntos] → 2
devant πρό [pro] → 20
le **devin** ὁ μάντις [manntis] → 13
le **dieu** ὁ θεός [téos] → 13
dîner δειπνέω-ῶ [deïpnéô-deïpnô] → 10
le **dîner** τὸ δεῖπνον [deïpnonn] → 18
le **discours** ὁ λόγος [logos] → 6
le **disque** ὁ δίσκος [diskos] → 7
la **divinité** ὁ δαίμων [daïmônn] → 13
le **doigt** ὁ δάκτυλος [daktulos] → 16
le **don** τὸ δῶρον [dôronn] → 2
dormir καθεύδω [katéoudô] → 10
le **dos** τὸ νῶτον [nôtonn] → 16
la **douleur** ἡ ὀδύνη [odunè] → 17
les **draps** τὰ στρώματα [strômata] → 5
à **droite** ἐπὶ δεξιᾶς [épi déksias] → 20
la **durée** ὁ χρόνος [kronos] → 20

E

*l'***eau** τὸ ὕδωρ [udôr] → 18
*l'***éclair** ἡ ἀστραπή [astrapè] → 8
*l'***école** τὸ διδασκαλεῖον [didaskaleïonn] → 12
*l'***écolier** ὁ μαθητής [matètès] → 4
écouter ἀκούω [akouô] → 4
écrire γράφω [grafô] → 4
*l'***éducation** ἡ παιδεία [païdeïa] → 4
éduquer παιδεύω [païdéouô] → 4
*l'***égalité** ἡ ἰσότης [issotès] → 2
*l'***éléphant** ὁ ἐλέφας [éléfas] → 9
*l'***enfant** τὸ παιδίον [païdionn] ὁ παῖς [païs] → 1
les **enfants** οἱ ἔκγονοι [ékgonoï] → 1
*l'***ennemi** ὁ πολέμιος [polémios] → 15
enseigner διδάσκω [didaskô] → 4
entendre ἀκούω [akouô] → 4
*s'***entraîner** ❶ μελετάω-ῶ [mélétaô-mélétô] ❷ γυμνάζομαι [gummnadzomaï] → 4, 7
*l'***épaule** ὁ ὦμος [ômos] → 16
*l'***épée** τὸ ξίφος [ksifos] → 15
*l'***éponge** ὁ σπόγγος [sponngos] → 5
*l'***époque** ὁ χρόνος [kronos] → 20
*l'***épouse** ἡ γυνή [gunè] → 1
*l'***escalier** ἡ κλῖμαξ [klimaks] → 5
*l'***esclave** ὁ δοῦλος [doulos] → 2
*l'***essai** ἡ πεῖρα [peïra] → 7
*l'***étage** τὸ ὑπερῷον [upérôonn] → 5
*l'***État** τὸ κοινόν [koïnonn] → 14
*l'***été** τὸ θέρος [téros] → 20
*l'***éternuement** ὁ πταρμός [ptarmos] → 17
*l'***éthique** τὸ ἠθικόν [ètikonn] → 4
*l'***étranger** ὁ ξένος [ksénos] → 14
*l'***étude** ἡ σχολή [skolè] → 4
étudier μανθάνω [manntanô] → 4

F

la fable ὁ μῦθος [mutos] → 6
la fatigue ὁ κάματος [kamatos] → 17
la femme ἡ γυνή [gunè] → 1
la fenêtre ἡ θυρίς [turis] → 5
les fesses αἱ πυγαί [pugaï] → 16
la fièvre ὁ πυρετός [purétos] → 17
la fille ἡ θυγάτηρ [tugatèr] → 1
le fils ὁ υἱός [uïos] → 1
le flambeau ἡ λαμπάς [lammpas] → 5
la flûte ὁ αὐλός [aoulos] → 7
la flûte de Pan ἡ σῦριγξ [surinnks] → 7
le foie τὸ ἧπαρ [èpar] → 16
la folie ἡ μανία [mania] → 13
la fontaine ἡ κρήνη [krènè] → 12
la foudre ὁ κεραυνός [kéraounos] → 8
la foule οἱ πόλλοι [polloï] → 2
la fourmi ὁ μύρμηξ [murmèks] → 9
le foyer ❶ ἡ ἐσχάρα [éskara] ❷ ἡ ἑστία [éstia] → 5
fréquenter πλησιάζω (+ dat.) [plèsiadzô] → 2
le frère ὁ ἀδελφός [adélfos] → 1
(très) froid (σφόδρα) ψυχρός [(sfodra) psukros] → 8
le fromage ὁ τυρός [turos] → 18
le front τὸ μέτωπον [métôponn] → 16
le fruit ὁ καρπός [karpos] → 9
les funérailles ὁ τάφος [tafos] → 2
le futur τὸ μέλλον [méllonn] → 20

G

gagner νικάω-ῶ [nikaô-nikô] → 7
la galette ἡ μᾶζα [madza] → 18
le garçon ὁ παῖς [païs] → 1
le gâteau ὁ πλακοῦς [plakous] → 18
à gauche ἐπ'ἀριστερᾶς [ép'aristéras] → 20
le général ὁ ἡγεμών [èguémônn] → 15
le genou τὸ γόνυ [gonu] → 16
le genre τὸ γένος [guénos] → 1
la géométrie ἡ γεωμετρία [guéômétria] → 4
le gobelet ἡ φιάλη [fialè] → 5
goûter γεύομαι [guéouomaï] → 18
le gouvernement ἡ ἀρχή [arkè] → 14
grand μέγας [mégas] → 1
la grand-mère ἡ τήθη [tètè] → 1
le grand-père ὁ πάππος [pappos] → 1
gros εὔσαρκος [éoussarkos] → 1
la guerre ὁ πόλεμος [polémos] → 15
le gymnase τὸ γυμνάσιον [gummnassionn] → 7
le gynécée ἡ γυναικωνῖτις [gunaïkônitis] → 5

H

s'habiller ἐνδύομαι [énnduomaï] → 10, 11
*l'*habit ἡ στολή [stolè] → 11
*l'*habitation ὁ οἶκος [oïkos] → 5
le héros ὁ ἥρως [èrôs] → 13
*l'*heure ἡ ὥρα [ôra] → 20
hier χθές [ktés] → 20
*l'*hippodrome ὁ ἱππόδρομος [ippodromos] → 7
*l'*hiver ὁ χειμών [keïmônn] → 20
*l'*homme ὁ ἀνήρ [anèr] → 1
*l'*hospitalité ἡ ξενία [ksénia] → 2
*l'*huile (d'olive) τὸ ἔλαιον [élaïonn] → 18
*l'*huile parfumée τὸ μύρον [muronn] → 5
*l'*hymne ὁ ὕμνος [ummnos] → 6

IJL

ici ἐνθάδε / δεῦρο (sans mvt. / avec mvt.) [énntadé / déouro] → 20
*l'*ignorance ἡ ἄγνοια [agnoïa] → 4
*l'*image ἡ εἰκών [eïkônn] → 6
immortel ἀθάνατος [atanatos] → 13
*l'*insomnie ἡ ἀγρυπνία [agrupnia] → 10
*l'*instrument τὸ ὄργανον [organonn] → 6
*l'*ivoire ὁ ἐλέφας [éléfas] → 6
jamais οὐδέποτε [oudépoté] → 20
la jambe τὸ σκέλος [skélos] → 16
la jarre à vin ὁ πίθος [pitos] → 5
jaune κίτρινος [kitrinos] → 11
le javelot ὁ ἄκων [akônn] → 7
jeune νέος [néos] → 1
la jeune fille ἡ κόρη [korè] → 1
le jeune homme ὁ νεανίας [néanias] → 1

la jeunesse ἡ ἥβη [èbè] → 2
jouer παίζω [païdzô] → 7
le jour ἡ ἡμέρα [èméra] → 20
le juge ὁ δικαστής [dikastès] → 3
là-bas ἐκεῖ / ἐκεῖσε (sans mvt. / avec mvt.) [ékeï / ékeïsé] → 20
laid αἰσχρός [aïskros] → 1
le lait τὸ γάλα [gala] → 18
la lampe ὁ λύχνος [luknos] → 5
la lance ἡ λόγχη [lonnkè] → 15
lancer βάλλω [ballô] → 7
la langue ἡ γλῶττα [glôtta] → 16
se laver λούομαι [louomaï] → 10
la lettre ἡ ἐπιστολή [épistolè] → 6
les lettres τὰ γράμματα [grammata] → 4
se lever ἀνίσταμαι [anistamaï] → 10
la lèvre τὸ χεῖλος [keïlos] → 16
la liberté ἡ ἐλευθερία [éléoutéria] → 14
le lieu ὁ τόπος [topos] → 12
lire ἀναγιγνώσκω [anaguignôskô] → 4
le lit ❶ τὸ λέκτρον [léktronn] ❷ (de table) ἡ κλίνη [klinè] → 5
le livre τὸ βιβλίον [biblionn] → 4
la loi ὁ νόμος [nomos] → 14
la lutte ὁ ἀγών [agônn] → 7

M

la magie ἡ μαγεία [magueïa] → 13
la magistrature ἡ ἀρχή [arkè] → 14
la main ἡ χείρ [keïr] → 16
maintenant νῦν [nunn] → 20
la maison ἡ οἰκία [oïkia] → 5
le maître ὁ δεσπότης [déspotès] → 2
le maître d'école ὁ διδάσκαλος [didaskalos] → 4
le maître de gymnastique ὁ παιδοτρίβης [païdotribès] → 7
le mal de tête ἡ κεφαλαλγία [kéfalalguia] → 17
la malédiction ἡ ἀρά [ara] → 13
la maman ἡ μάμμη [mammè] → 1
manger ἐσθίω [éstiô] → 18
le manteau ❶ τὸ ἱμάτιον [imationn] ❷ (des militaires) ἡ χλαμύς [klamus] ❸ (élégant) ἡ χλανίς [klanis] → 11
se maquiller ψιμυθιόομαι-οῦμαι [psimutioomaï-psimutioumaï] → 10
le marbre ὁ μάρμαρος [marmaros] → 6
le mari ὁ ἀνήρ [anèr] → 1
le mariage ὁ γάμος [gamos] → 1
le marin ὁ ναύτης [naoutès] → 3
le masque τὸ πρόσωπον [prossôponn] → 6
le matelas τὸ στρῶμα [strôma] → 5
les mathématiques τὰ μαθήματα [matèmata] → 4
le matin ἡ πρωΐα [prôïa] → 20
le médecin ὁ ἰατρός [iatros] → 3
le médicament τὸ φάρμακον [farmakonn] → 17
la mémoire ἡ μνήμη [mnèmè] → 4
le menton τὸ γένειον [guéneïonn] → 16
merci ! εὐχαριστῶ [éoukaristô]
la mère ἡ μήτηρ [mètèr] → 1
le métier ἡ τέχνη [téknè] → 3
le miel τὸ μέλι [méli] → 18
mince λεπτός [léptos] → 1
le miroir τὸ κάτοπτρον [katoptronn] → 5
le mobilier ἡ κατασκευή [kataskéouè] → 5
le mois ὁ μήν [mènn] → 20
la mort ὁ θάνατος [tanatos] → 2
mortel βροτός [brotos] → 13
la mosaïque τὸ λιθόστρωτον [litostrôtonn] → 5
mourir ἀποθνήσκω [apotnèskô] → 2
la moustache ὁ μύσταξ [mustaks] → 1
le mur ὁ τοῖχος [toïkos] → 5
les Muses αἱ Μοῦσαι [moussaï] → 6
le musicien ὁ μουσικός [moussikos] → 6
la musique ἡ μουσική [moussikè] → 4, 7

NO

nager νέω [néô] → 7
la neige ἡ χιών [kiônn] → 8
le nez ἡ ῥίς [ris] → 16
noir μέλας [mélas] → 1, 11
le nom (de famille) τὸ ὄνομα [onoma] → 1
non οὐδαμῶς [oudamôs]
le nuage τὸ νέφος [néfos] → 8
la nuit ἡ νύξ [nuks] → 20
la nymphe ἡ νύμφη [nummfè] → 13
*l'*œil ὁ ὀφθαλμός [oftalmos] → 16

*l'*œuf τὸ ᾠόν [ôonn] → 18
*l'*oiseau ὁ (ἡ) ὄρνις [ornis] → 9
OK ! ὁμολογῶ [omologô]
*l'*olive ἡ ἐλάα [élaa] → 18
*l'*oncle ὁ θεῖος [teïos] → 1
*l'*or ὁ χρυσός [krussos] → 11
*l'*orateur ὁ ῥήτωρ [rètôr] → 4
*l'*oreille τὸ οὖς [ous] → 16
*l'*oreiller τὸ προσκεφάλαιον [proskéfalaïonn] → 5
ostraciser ὀστρακίζω [ostrakidzô] → 14
*l'*oubli ἡ λήθη [lètè] → 4
oui ναί [naï]
*l'*outil τὸ ὄργανον [organonn] → 3

P

le pain ὁ ἄρτος [artos] → 18
la paix ἡ εἰρήνη [eïrènè] → 15
le papa ὁ πάππας [pappas] → 1
le papillon ἡ ψυχή [psukè] → 9
parce que... ὅτι... [oti...]
les parents οἱ γονεῖς [goneïs] → 1
la parole ὁ λόγος [logos] → 6
le participant ὁ ἀθλητής [atlètès] → 7
la parure ὁ κόσμος [kosmos] → 11
le passé τὰ πάλαι [palaï] → 20
la patrie ἡ πατρίς [patris] → 14
le pays ὁ δῆμος [dèmos] → 1
la pêche ἡ ἁλιεία [alieïa] → 7
le peigne ὁ κτείς [kteïs] → 5
se peigner κτενίζομαι (τὰς κόμας) [kténidzomaï (tas komas)] → 10
peindre ζωγραφέω-ῶ [dzôgraféô- dzôgrafô] → 7
le peintre ὁ ζωγράφος [dzôgrafos] → 6
la peinture ἡ γραφή [grafè] → 7
perdre ἡττάομαι-ῶμαι [èttaomaï-èttômaï] → 7
le père ὁ πατήρ [patèr] → 1
le péristyle ὁ περίστυλος [péristulos] → 12
petit μικρός [mikros] → 1
le petit déjeuner τὸ ἀκράτισμα [akratisma] → 18
le peuple ὁ δῆμος [dèmos] → 1, 14
la philosophie ἡ φιλοσοφία [filossofia] → 4
la pièce de théâtre τὸ δρᾶμα [drama] → 6
le pied ὁ πούς [pous] → 16
la place publique ἡ ἀγορά [agora] → 12
planter φυτεύω [futéouô] → 9
plonger βάπτω [baptô] → 7
la poésie ἡ ποίησις [poïèssis] → 6
la poésie épique τὰ ἔπη [épè] → 6
la poésie lyrique τὰ μέλη [mélè] → 6
le poète ὁ ποιητής [poïètès] → 6
le poids τὸ βάρος [baros] → 1
le poison τὸ φάρμακον [farmakonn] → 17
le poisson ὁ ἰχθύς [iktus] → 9
la poitrine τὸ στῆθος [stètos] → 16
le poivre τὸ πέπερι [pépéri] → 18
le pont ἡ γέφυρα [guéfura] → 12
le porc ❶ (animal) ὁ σῦς [sus] ❷ (viande) τὰ χοίρεια (κρέα) [koïreïa (kréa)] → 9, 18
le port ὁ λιμήν [limènn] → 12
la porte ἡ θύρα [tura] → 5
porter φορέω-ῶ [foréô-forô] → 11
les portes (de la ville) αἱ πυλαί [pulaï] → 12
le portique ἡ στοά [stoa] → 12
le portrait ἡ εἰκών [eïkônn] → 6
la poterie (l'art) ἡ κεραμική [kéramikè] → 6
pourquoi ? διὰ τί; [dia ti]
le pouvoir ἡ ἀρχή [arkè] → 14
le précepteur ὁ διδάσκαλος [didaskalos] → 4
préparer παρασκευάζω [paraskéouadzô] → 18
se préparer παρασκευάζομαι [paraskéouadzomaï] → 10
le présent τὸ παρόν [paronn] → 20
le prêtre ὁ ἱερεύς [iéréous] → 13
la prière ἡ εὐχή [éoukè] → 13
le printemps τὸ ἔαρ [éar] → 20
le prix τὸ ἆθλον [atlonn] → 7
la procession ἡ πομπή [pommpè] → 13
la promenade ὁ περίπατος [péripatos] → 12
se promener περιπατέω-ῶ [péripatéô-péripatô] → 7
le prophète ὁ προφήτης [profètès] → 13

R

se raser ξύρομαι [ksuromaï] → 10
la récolte ὁ καρπός [karpos] → 9

le **réfléchir** λογίζομαι [loguidzomaï] → 4
le **régime politique** ἡ πολιτεία [politeïa] → 14
le **rempart** τὸ τεῖχος [teïkos] → 12
se **reposer** ἀναπαύομαι [anapaouomaï] → 10
se **réveiller** ἐγείρομαι [égueïromaï] → 10
rêver ὀνειροπολέω-ῶ [oneïropoléô-oneïropolô] → 10
la **rhétorique** ἡ ῥητορική [rètorikè] → 4
le **rhume** ἡ κόρυζα [korudza] → 17
la **robe** ἡ στολή [stolè] → 11
le **roi** ὁ βασιλεύς [bassiléous] → 14
le **roman** ὁ μῦθος [mutos] → 6
rose ῥοδοειδής [rodoeïdès] → 11
le **rôti** τὰ ὀπτανά [optana] → 18
rouge ἐρυθρός [érutros] → 11
la **route** ἡ ὁδός [odos] → 12
la **rue** ἡ ὁδός [odos] → 12

S

sacré ἱερός [iéros] → 13
la **sagesse** ἡ σοφία [sofia] → 4
le **salaire** ὁ μισθός [mistos] → 3
le **sanctuaire** τὸ ἱερόν [iéronn] → 13
sauter ἅλλομαι [allomaï] → 7
le **savoir** ἡ σοφία [sofia] → 4
la **scène** τὸ προσκήνιον [proskènionn] → 6
la **science** ἡ ἐπιστήμη [épistèmè] → 4
la **sculpture** (l'art) ἡ ἀνδριαντοποιΐα [anndrianntopoïia] → 6
les **seins** οἱ κόλποι [kolpoï] → 16
le **sel** ὁ ἅλς [als] → 18
la **semaine** ἡ ἑβδομάς [ébdomas] → 20
semer σπείρω [speïrô] → 9
la **sépulture** ὁ τάφος [tafos] → 2
le **serviteur** ὁ οἰκέτης [oïkétès] → 2
le **sexe** τὸ γένος [guénos] → 1
le **siège** ❶ ἡ καθέδρα [katédra] ❷ ἡ ἕδρα [édra] ❸ (d'une ville) ἡ πολιορκία [poliorkia] → 5, 15
la **société** ἡ κοινωνία [koïnônia] → 2
la **sœur** ἡ ἀδελφή [adélfè] → 1
le **soir** ἡ ἑσπέρα [éspéra] → 20
le **soldat** ὁ στρατιώτης [stratiôtès] → 15
le **soleil** ὁ ἥλιος [èlios] → 8
le **sommeil** ὁ ὕπνος [upnos] → 10
le **sorcier** ὁ γόης [goès] → 13
le **souvenir** ἡ μνήμη [mnèmè] → 4
se **souvenir** μέμνημαι [mémmnèmaï] → 4
le **spectacle** ἡ θέα [téa] → 6
le **spectateur** ὁ θεατής [téatès] → 6
le **stade** τὸ στάδιον [stadionn] → 7
la **statue** ὁ ἀνδριάς [andrias] → 6
la **stèle funéraire** ἡ στήλη [stèlè] → 2
le **stratège** ὁ στρατηγός [stratègos] → 15

T

la **table** ἡ τράπεζα [trapédza] → 5
la **taille** τὸ μέγεθος [méguétos] → 1
la **tante** ἡ τηθίς [tètis] → 1
le **tapis** ἡ τάπις [tapiss] → 5
la **technique** ἡ τέχνη [téknè] → 3, 6
la **tempête** ὁ χειμών [keïmônn] → 8
le **temple** ❶ ὁ ναός [naos] ❷ (consacré aux Muses) τὸ μουσεῖον [mousseïonn] → 12, 6
le **temps** ❶ ὁ χρόνος [kronos] ❷ (météo) ἡ ὥρα [ôra] → 20, 8
la **terre** ἡ γῆ [guè] → 9
la **tête** ἡ κεφαλή [kéfalè] → 16
le **théâtre** τὸ θέατρον [téatronn] → 6, 12
les **thermes** τὰ θερμά [térma] → 12
le **toit** τὸ τέγος [tégos] → 5
toujours ἀεί [aeï] → 20
la **toux** ἡ βήξ [bèks] → 17
la **tragédie** ἡ τραγῳδία [tragôdia] → 6
le **travail** τὸ ἔργον [érgonn] → 3
travailler ἐργάζομαι [érgadzomaï] → 3
la **tribu** ἡ φυλή [fulè] → 1
la **trompette** ἡ σάλπιγξ [salpinnks] → 7
trouver εὑρίσκω [éouriskô] → 4
la **tunique** ὁ χιτών [kitônn] → 11
le **tyran** ὁ τύραννος [turannos] → 14

le **vainqueur** ὁ νικηφόρος [nikèforos] → 7
le **vase** ὁ κέραμος [kéramos] → 6
le **vent** ὁ ἄνεμος [anémos] → 8
le **ventre** ἡ γαστήρ [gastèr] → 16
le **vers** ὁ στίχος [stikos] → 6
vert χλωρός [klôros] → 1, 11
la **veste** τὸ ἔγκυκλον [énnkuklonn] → 11
la **victime** τὸ σφάγιον [sfaguionn] → 13
la **victoire** ἡ νίκη [nikè] → 7
la **vie** ὁ βίος [bios] → 2
le **vieillard** ὁ γέρων [guérônn] → 2
la **vieillesse** τὸ γῆρας [guèras] → 2
vieux γεραιός [guéraïos] → 1
la **ville** ἡ πόλις [polis] → 12
le **vin** ὁ οἶνος [oïnos] → 18
le **vinaigre** τὸ ὄξος [oksos] → 18
violet ἰώδης [iôdès] → 11
le **visage** τὸ πρόσωπον [prossôponn] → 16
vivre ζάω-ῶ [dzaô-dzô] → 2
le **voile** τὸ κάλυμμα [kalumma] → 11
le **voisin** ὁ γείτων [gueïtônn] → 2, 5
voter ψηφίζομαι [psèfidzomaï] → 14
le **yaourt** ἡ πυριάτη [puriatè] → 18

Crédits photographiques

© fotolia.com : Alexander Maier, Andre LETZEL, Andy Lidstone, Angel Luis Simon Martin, Anna Khomulo, Beboy, CBH, chungking, Claude Calcagno, Coprid, Denis Topal, Dmitry, Donatas Jaraminas, Duncan Noakes, Elena Elisseeva, Eric Isselée, Erica Guilane-Nachez, f8grapher, felinda, Franck Boston, gors4730, gudrun, guy, Iakov Filimonov, iaroslava, igor terekhov, JackF, je, Karel Miragaya, kennyphoto, Kistryn, kmiragaya, L. Libonis, Lefteris Papaulakis, lily, Malyshchyts Viktar, martine wagner, MartinW, mates, mickyso, Mikhail Mandrygin, Mist, Natika, objectsforall, Olivier Le Moal, Paolo Gallo Modena, photocrew, photomaru, Picture Partners H, Regormark, Repina Valeriya, sahua d, serge simo, Sergey Belov, Serghei Platonov, shadowvincent, Smileus, Stéphane Le Blan, stickmyhome, Success, Tinka, TONO BALAGUER, tsach, uckyo, Unclesam, Vasiliy Voropaev, Vdovichenko Eugene, Vitaly Korovin, Yanterric.

© Larousse : archives Larousse, Claire Felloni, Coll. Archives Larbor.

© thinkstockphotos.fr : AlexStar, Andy Dean, Angelo Sarnacchiaro, Anterovium, Artem Furman, Comstock, Comstock Images, de santis paolo, Denis Barbulat, Deyan Georgiev, Dorling Kindersley, Fabrizio Troiani, Frans Rombout, Gyorgy Barna, Igor Zakowski, Irina Opachevsky, Kirill Vorobyev, Iculig, Maksym Bondarchuk, Mario Savoia, micheyk, morningarage, Natalia Lukiyanova, Nikolay Pozdeev, Olga Brovina, PANAGIOTIS KARAPANAGIOTIS, Photos.com, still-life, Tatiana Popova, Victoria Chukalina, Vyacheslav Biryukov, Xiangdong Li, Zoonar RF.

© Wikimedia Commons : Bibi Saint-Pol, Jastrow, Marie-Lan Nguyen, Steffen Heilfort.